"十二五"国家重点图书出版规划项目

CHINA WETLANDS RESOURCES
Tianjin Volume

中国湿地资源

天津卷

◎ 国家林业局组织编写

中国林业出版社

图书在版编目（CIP）数据

中国湿地资源 · 天津卷 / 国家林业局组织编写；石会平分册主编 . －北京：中国林业出版社，2015.12

“十二五”国家重点图书出版规划项目

ISBN 978-7-5038-8287-6

Ⅰ. ①中… Ⅱ. ①国… ②石… Ⅲ. ①湿地资源－研究－天津市 Ⅳ. ① P942.078

中国版本图书馆 CIP 数据核字（2015）第 296668 号

总 策 划：金　旻

策划编辑：徐小英

主要编辑：徐小英　刘香瑞　李　伟

何　鹏　于界芬

美术编辑：赵　芳

出版发行　中国林业出版社（100009　北京西城区刘海胡同 7 号）

http://lycb.forestry.gov.cn

E-mail:forestbook@163.com　电话：(010)83143515、83143543

设计制作　北京天放自动化技术开发公司

北京捷艺轩彩印制版有限公司

印刷装订　北京中科印刷有限公司

版　　次　2015 年 12 月第 1 版

印　　次　2015 年 12 月第 1 次

开　　本　787mm × 1092mm　1/16

字　　数　204 千字

印　　张　8

定　　价　75.00 元

中国湿地资源系列图书
编撰工作领导小组

顾　问： 陈宜瑜　李文华　刘兴土

组　长： 张永利

副组长： 马广仁

成　员：（按姓氏笔画排序）

王文宇　王忠武　王海洋　韦纯良　邓乃平　邓三龙
兰宏良　刘建武　刘艳玲　刘新池　李　兴　李三原
李永林　来景刚　吴　亚　张宗启　陆月星　陈则生
陈传进　陈俊光　林云举　呼　群　金　旻　金小麒
周光辉　降　初　孟　沙　侯新华　夏春胜　党晓勇
徐济德　奚克路　阎钢军　程中才　雷桂龙　蔡炳华
樊　辉

中国湿地资源系列图书
编撰工作领导小组办公室

主　任： 马广仁

副主任： 鲍达明　唐小平　熊智平　马洪兵

成　员： 王福田　姬文元　刘　平　闫宏伟　李　忠　田亚玲
王志臣　张阳武　但新球　刘世好　王　侠　徐小英

《中国湿地资源·天津卷》
编辑委员会

主　任：张宗启

副主任：齐龙云　李俊柱

成　员：石会平　马洪兵　张明祥　李洪远　张正旺　高德明
徐德发　李　伟　孙宝玉　张振兴　姬铁军　刘　捷
赵国明　张振亭　高启生　刘宝国　马金河　荣万成
徐继珍　孟庆安　时迎春　赵学壮

《中国湿地资源·天津卷》
编写组

主　　编：石会平

副 主 编：马洪兵　张明祥

编 著 者：孟伟庆　莫训强　高　鑫　张小锟

主　　审：李俊柱　李洪远

地图绘制：马洪兵

照片摄影：马井生　王　强

总 序

湿地是地球表层系统的重要组成部分，是自然界最具生产力的生态系统和人类文明的发祥地之一。在联合国环境规划署（UNEP）委托世界自然保护联盟（IUCN）编制的《世界自然资源保护大纲》中，湿地与森林和海洋一起并称为全球三大生态系统。湿地具有类型多样、分布广泛的特点；湿地更重要的是还具有多种供给、调节、支持与文化服务功能，是人类重要的生存环境和资源资本。湿地与人类生产生活和社会经济发展息息相关。湿地的重要性受到世界各国和国际社会的普遍关注。早在1971 年，国际社会就建立了全球第一个政府间多边环境公约，即《关于特别是作为水禽栖息地的国际重要湿地公约》（简称《湿地公约》）。同时，该公约也是全球最早针对单一生态系统保护的国际公约。1992 年中国加入《湿地公约》，自此我国湿地保护事业进入了新的发展时期。

我国加入《湿地公约》后，在国家林业局设立了专门的湿地保护和履约机构，对内负责组织、协调、指导和监督全国湿地保护工作，对外负责《湿地公约》的履约工作。近年来，中国各级政府在湿地保护方面开展了大量卓有成效的工作，采取了一系列保护和合理利用湿地资源的措施，在湿地保护规划和重点工程建设、财政补贴政策制定实施、法规制度建设、保护体系建设、科研监测、宣传教育和国际合作等方面取得了长足进步。但我国湿地生态系统仍然面临着盲目围垦与改造、污染、水土流失、泥沙淤积、生物资源过度利用等多种因素的破坏和威胁，导致面积减少，生态功能下降，生物多样性丧失。因此，切实保护和合理利用湿地资源，既是保障生态安全和国土安全的当务之急，更是中国实施可持续发展战略势在必行的要务。

开展湿地资源调查，摸清湿地资源家底，把握湿地资源动态，是所有湿地保护工作的基础，也是履行《湿地公约》各项工作的根基。2009 ～ 2013 年，在中央财政的支持下，国家林业局组织开展了第二次全国湿地资源调查工作。在此期间，我有幸作为第二次全国湿地资源调查专家技术委员会的主任委员，和其他专家一起全程参与了此次湿地资源调查的主要技术环节和成果鉴定。

我认为此次调查具有以下几个特点：一是，此次调查的湿地分类、界定标准、调查方法基本与《湿地公约》规定相接轨，使得调查数据符合《湿地公约》的要求，调查成果易于被国际认可，便于国际间的对比和交流。二是，制定了内容全面、方法科学、符合国际标准的统一技术规程《全国湿地资源调查技术规程（试行）》，进行了同标准、同口径的分期分批调查。三是，本次调查利用“3S”技术与现地验证相结合的技术方法，查清了全国范围内（未包括香港、澳门、台湾）8 公顷以上的湿地资源基本情况。四是，湿地调查分为一般调查和重点调查。重点调查包括，国际重要湿地、国家重要湿地、自然保护区（含自然保护小区）和湿地公园内的湿地以及其他特有、分布濒危物种和红树林等具有特殊保护价值的湿地。五是，组织保障有力。国家层面上，成立了第二次全国湿地资源调查领导小组、专家技术委员会、中央技术支撑单位和国家质量检查组；省级层面上，分别成立了湿地调查专职机构，组建了省级专业调查队伍。

需要指出的是，第二次全国湿地资源调查期间，我国湿地保护事业发展迅速。2009 年，中央启动了“湿地生态效益补偿试点”工作；2010 年开始，中央财政设立了湿地保护补助专项资金；2012 年，党的十八大将建设生态文明纳入中国特色社会主义事业“五位一体”总体布局，提出要“扩大森林、湖泊、湿地面积，保护生物多样性”。期间，国家林业局会同相关部门认真实施了《全国湿地保护工程实施规划 (2005 ～ 2010 年)》和《全国湿地保护工程“十二五”实施规划》。2013 年，国家林业局出台的《推进生态文明建设规划纲要》划定了湿地保护红线，到 2020 年中国湿地面积不少于 8 亿亩。2013 年，国家林业局出台了第一部国家层面的湿地保护部门规章《湿地保护管理规定》。应该说，历时 5 年的湿地资源调查与同期湿地保护事业的发展，是休戚相关，相互促进的。

第二次全国湿地资源调查取得了丰硕成果。在全球范围内，我国率先完成了《湿地公约》倡导的国家湿地资源调查，首次科学、系统地查明了《湿地公约》所定义的我国湿地资源情况。建立了完整的全国湿地资源空间数据库和属性数据库，掌握了近 10 年来湿地资源动态变化情况，建立了稳定的湿地资源调查专业队伍和专家团队，形成了较为完整的湿地资源调查监测技术规范，完成了全国湿地资源总报告、分省报告和多个专题报告，编制了系列成果图。调查成果达到国际先进水平。

党的十八大对建设生态文明作出了全面部署，强调把生态文明建设放在突出地位，融入经济建设、政治建设、文化建设、社会建设各方面和全过程。在全国第二次湿地资源调查成果的基础上，系统编著形成了中国湿地资源系列图书，为新时期我国湿地保护事业奠定了坚实基础。希望本系列图书能够为我国湿地工作者在开展湿地研究、保护与合理利用工作时提供参考和借鉴。

中国科学院院士

2015 年 9 月

前 言

湿地是具有独立特殊功能的生态系统，有着重要的水文和化学功能，同时蕴藏着丰富的生物资源，被称为“地球之肾”，同森林、海洋并称为全球三大生态系统。在保护生态环境、保持生物多样性以及发展经济社会中，具有不可替代的重要作用。天津市地处九河下梢，东临渤海，北依燕山，境内河流纵横，坑塘淀洼星罗棋布，地貌类型丰富，生物多样性显著。湿地作为我市最具代表性的生态类型，其重要的生态功能已得到广泛认知。

天津市委、市政府高度重视生态保护工作。《天津市城市总体规划（2005~2020年）》中，将七里海、大黄堡、团泊、北大港湿地全部纳入中部、南部湿地生态环境建设和保护区加以保护。近年来，市委、市政府贯彻落实十八大提出的“五位一体”战略部署，将生态建设和保护工作提高到一个全新高度。修订出台的《天津市绿化条例》增加了湿地保护方面的内容；出台的《天津市人民代表大会常务委员会关于批准划定永久性保护生态区域的决定》，将占国土面积 12% 左右的湿地自然保护区、水库、河流等不同类型湿地划入红线加以严格保护，也为野生动物栖息繁衍、候鸟迁徙提供了安全良好的环境；出台的《天津古海岸与湿地国家级自然保护区管理办法》使湿地自然保护区的管理更加规范有序；批准实施的《天津市林业局关于发布陆生野生动物禁猎区、禁猎期的通告》，使我市野生动物特别是资源众多的湿地鸟类得到了有效保护。同时，在市委、市政府领导高度重视下，《天津市湿地保护条例》已经第 53 次市政府常务会议通过，提交市人大审议；《天津北大港湿地自然保护区管理办法》已进入市政府法制办工作日程。

在市委、市政府的领导下，我市陆续建立湿地类型自然保护区 4 个，开展国家湿地公园试点建设 2 个，建立水源地保护区和海洋特别保护区各 1 个，总面积 1107.7 平方公里，占我市国土面积的 9.29%，初步形成我市湿地保护体系。通过坚持不懈的努力，我市湿地保护事业取得了显著成效，生态功能进一步提升，为迁徙的候鸟提供了良好栖息环境。据 2011~2014 年开展的全市第二次陆生野生动物资源调查结果显示，我市鸟类资源由原来记录的 389 种增加为 416 种。各湿地类型自然保护区鸟类数量与种类的增加尤其显著。其中，北大港湿地保护区鸟类种数增加数十种。近年来，仅实地观测到的鸟类就达到 239 种。该保护区成为东方白鹳、天鹅等珍稀鸟类和雁鸭类、鸻鹬类候鸟的重要栖息地，达到国际重要湿地等级标准。引人瞩目的保护成果，使其成为国际合作与交流的平台。

按照国家林业局统一安排部署，结合我市湿地保护工作实际需要，天津市林业局于 2009 年在清华大学、北京林业大学的科技支撑下，运用“3S”技术和与国际接轨的调查方法，对全市湿地资源的类型、面积进行了调查，形成调查报告和数据库。在南开大学、天津师范大学、北京师范大学、天津自然博物馆的大力协助下，进一步完成了对湿地野生动植物资源的补充调查。

根据本次湿地调查结果显示，全市湿地总面积 29.56 万公顷。湿地类型包含了近海与海岸湿地、河流湿地、湖泊湿地、沼泽湿地、人工湿地五大湿地类中的浅海水域、淤泥质海滩等 11 个湿地型，类型齐全且多样。其中，近海与海岸湿地面积为 10.43 万公顷，占湿地总面积的 35.29%；河流湿地面积为 3.23 万公顷，占湿地总面积的 10.92%；湖泊湿地面积为 0.36 万公顷，占湿地总面积的 1.22%；沼泽湿地面积为 1.09 万公顷，占湿地总面积的 3.70%；人工湿地面积为 14.45 万公顷，占湿地总面积的 48.87%。天津市湿地动植物资源丰富，本次调查共发现植物有 69 科 200 属 291 种（包括种以下单位）。其中裸子植物 4 科 6 属 8 种，被子植物 65 科 194 属 283 种。湿地脊椎动物有 318 种，隶属于 39 目 84 科，其中两栖类 1 目 4 科 7 种、爬行类 2 目 2 科 11 种、哺乳类 5 目 7 科 14 种、水鸟 11 目 24 科 160 种、鱼类 20 目 47 科 126 种。

在调查工作的基础上，通过多年工作实践和研究梳理，编辑成《中国湿地资源 · 天津卷》一书。该书详细介绍了我市湿地类型、面积、生物资源、利用方式和保护管理现状，在全面分析我市湿地资源特点、分布规律、受威胁状况等问题的基础上，提出了保护管理建议，为全市湿地保护工作者提供了工作手册，为科普教育提供了素材，也为今后制定保护政策提供了科学依据。

湿地保护事关人类的生存环境和国家的生态安全，有效保护湿地，提高湿地保护管理水平，是湿地保护和科研工作者的神圣使命。在此，向参与天津市第二次湿地资源调查和在本书编写过程中给予帮助的同志们表示感谢，希望该书出版后能最大限度发挥其指导作用。由于水平有限，本书难免有错漏之处，还望广大读者给予批评指正。

注：由于我市是按照国家林业局安排部署于 2009 年首批开展湿地资源调查的省份，因此以当时行政区划为准进行调查和编写本书。

《中国湿地资源 · 天津卷》编辑委员会

2014 年 12 月

目　录

总　序
前　言
第一章　基本情况 …… (1)
　第一节　自然概况 …… (1)
　　1　地理位置及行政区划 …… (1)
　　2　地质地貌 …… (2)
　　3　土　壤 …… (3)
　　4　气　候 …… (3)
　　5　水　文 …… (4)
　　6　动植物概况 …… (4)
　第二节　社会经济状况 …… (5)
　　1　人口和民族 …… (5)
　　2　工农业生产情况 …… (5)
第二章　湿地类型 …… (7)
　第一节　遥感解译 …… (7)
　　1　数据的处理 …… (7)
　　2　判读人员的培训 …… (9)
　　3　解译标志的建立 …… (10)
　　4　判读分类系统及正判率 …… (14)
　　5　区划判读 …… (14)
　第二节　湿地类型与面积 …… (16)
　　1　概　述 …… (16)
　　2　近海与海岸湿地 …… (23)
　　3　河流湿地 …… (25)
　　4　湖泊湿地 …… (30)
　　5　沼泽湿地 …… (32)
　　6　人工湿地 …… (34)
　第三节　湿地的特点及分布规律 …… (38)
　　1　天津地域虽小，但湿地类较全 …… (38)
　　2　人工湿地面积大，占天津湿地总面积的一半左右 …… (38)

3 沿海滩涂湿地生态地位重要 …… (38)
4 内陆湿地中集体所有的湿地面积较多 …… (38)
第三章 湿地生物资源 …… (39)
第一节 湿地植物和植被 …… (39)
1 植物区系及分布区类型 …… (39)
2 植物区系地理成分构成 …… (40)
3 植物区系特点 …… (41)
4 主要植被类型 …… (42)
5 植物资源及其特点 …… (45)
6 植物濒危状况 …… (47)
第二节 湿地动物资源 …… (48)
1 湿地野生动物种类和特点 …… (48)
2 湿地鸟类 …… (49)
3 鱼 类 …… (54)
4 两栖类、爬行类、哺乳类 …… (54)
第四章 湿地资源利用 …… (55)
第一节 湿地资源利用方式及其利用现状 …… (55)
1 天津市湿地资源现状 …… (55)
2 天津湿地资源的利用方式 …… (56)
3 天津市湿地资源现状特点 …… (57)
4 湿地利用存在的问题及建议措施 …… (57)
第二节 湿地资源可持续利用前景分析 …… (60)
1 湿地资源可持续利用潜力 …… (60)
2 湿地资源可持续利用的优势 …… (60)
3 湿地资源可持续利用的保障措施 …… (61)
第五章 湿地资源评价 …… (62)
第一节 重点调查湿地概况 …… (62)
1 基本概况 …… (62)
2 重点调查湿地名录 …… (62)
3 各重点调查湿地概述 …… (64)
第二节 湿地生态状况 …… (77)
1 评价方法 …… (77)
2 评价结果 …… (78)
第三节 湿地受威胁状况及原因分析 …… (78)
1 重点湿地受威胁状况 …… (78)
2 湿地退化的原因分析 …… (79)

第六章 湿地保护与管理 …………………………………………………………………（82）
第一节 湿地保护管理现状 ……………………………………………………………（82）
1 建章立制，保护湿地资源 ………………………………………………………（82）
2 建立湿地自然保护区和湿地公园 ………………………………………………（82）
3 开展郊野公园建设 ………………………………………………………………（82）
4 加强湿地水资源管理 ……………………………………………………………（83）
5 加强机构建设 ……………………………………………………………………（83）
6 开展湿地资源本底调查 …………………………………………………………（83）
7 开展湿地保护宣传 ………………………………………………………………（83）
8 坚持做好湿地鸟类救护工作 ……………………………………………………（83）
9 开展湿地鸟类疫源疫病监测防控工作 …………………………………………（84）
第二节 湿地保护管理建议 ……………………………………………………………（84）
1 加快立法进程，制定湿地保护的法律法规 ……………………………………（84）
2 加强湿地保护的宣传工作 ………………………………………………………（84）
3 进一步明确职责，强化湿地保护管理 …………………………………………（84）
4 严防湿地污染，保障湿地水源质量 ……………………………………………（85）
5 集约使用水资源 …………………………………………………………………（85）
6 根据湿地类型不同，实行分类保护 ……………………………………………（85）
7 建立生态补偿机制 ………………………………………………………………（86）
8 合理开发利用湿地 ………………………………………………………………（86）
9 积极实施恢复湿地工程 …………………………………………………………（87）
附录 1 天津湿地调查区域植物名录 ……………………………………………（88）
附录 2 天津湿地调查区域动物名录 ……………………………………………（96）
附录 3 天津重点调查湿地概况 ……………………………………………………（104）
参考文献 ………………………………………………………………………………（107）
附 件 天津市湿地资源调查主要参加人员 ………………………………………（109）
后 记 …………………………………………………………………………………（111）

第一章 基本情况

第一节 自然概况

1 地理位置及行政区划

天津市位于华北平原的东北部，海河流域的下游。北起蓟县古长城脚下黄崖关以北，南至大港区翟庄子以南的沧浪渠，南北长189公里；东起汉沽区洒金坨以东陡河西排干渠，西至静海县子牙河畔王进庄，东西宽117公里。其地理坐标介于北纬38°34′~40°15′和东经116°43′~118°04′之间。

全市总面积11919.7平方公里，其中平原面积占95%以上，疆域周长约1290.8公里，海岸线长153公里，陆界长1137.48公里。市中心区东距渤海50公里，西北距北京120公里，东北距唐山市125公里，西距保定市150公里。

天津市的山区面积为727平方公里，占全市总面积的6.1%。就其地势来看，呈北高南低的趋势。蓟县北半部为基岩山地，属燕山山脉，市内最高峰为九山顶，海拔1078.5米。山脉呈东西走向，一般海拔100~200米，山区南侧紧邻开阔的平原地区，属华北平原的一部分，地势平坦，自西北向东南缓缓侧斜，海拔在8米以下，一般为3~5米。平原地区河流水渠纵横交错，呈低平多洼淀特征，如：蓟县境内的青甸洼、太合洼；宝坻县的黄庄洼、大钟庄洼、里子沽洼；宁河县的七里海；静海县的团泊洼、贾口洼等。这些洼淀除了改建成平原水库外，其余大都被开垦为农田。

天津市地处华北最大的水系——海河水系的入海口。海河纵贯市区，南运河、子牙河、大清河、永定河、北运河五大支游汇入海河，并经塘沽大沽口入渤海。天津市也是子牙新河、独流减河、永定新河、潮白新河、蓟运河等河流的入海地，可谓“河海之要冲”。

天津市是华北地区的交通枢纽，内外贸易集散地，交通方便。京山、津浦两大铁路干线在市内相交，为我国东北、西北交通之咽喉，南下华东、华中之要路和远洋交通的重要港口。铁路、公路、海运、内河、航空运输已形成系统的运输网络，作为首都北京的门户，北方重要的经济中心，地理位置十分重要。

天津市辖16个区、县。其中市辖区13个，中心城区有和平区、河东区、河西区、南开区、河北区、红桥区；环城区有西青区、东丽区、津南区、北辰区、武清区、宝坻区；滨海新区(2009年11月由原塘沽区、汉沽区、大港区等合并而成，本次调查仍采用合并之前的行政区划)。市辖县3个：静海县、宁河县、蓟县。

2 地质地貌

天津市北部地处纬向构造体系与新华夏构造体系的结合部位，华北平原沉降带的东北部。另外，还有祁吕贺兰“山”字形构造东翼反射弧和马兰峪“山”字形的西翼反射弧存在，中部和南部以新华夏构造体系为主纵贯南北。

区内出露或埋藏地层，自老至新有太古界、元古界、古生界、中生界和新生界。其中成岩地层除太古界在蓟县北部山区有局部出露，其余均未见出露。古生界缺失上奥陶—下石炭系，中生界缺失三叠系和新生界缺失第三系古新统地层。其他地层均有分布。第四系松散岩层层位齐全，成因复杂，广布于平原区。

区内的岩浆岩，伴随着各期大地构造运动，以侵入和喷出的形式，出露于不同地质时期，岩性从基性到碱性均有分布，说明了本区岩浆活动强烈，其中以燕山期岩浆活动最为强烈。如天津市著名的风景游览区——盘山花岗岩体就是此期的产物。喜山运动对本区地质地貌特征的发生和发展，起到了控制作用。

本区地貌特征，按其地貌形态自北而南划分为：基岩山地、堆积平原和海岸潮间带。又根据成因形态进一步划分为几个次级单元，现分述如下。

2.1 基岩山地

此区地貌按其形态和成因划分为以下次级单元，现分述如下：

(1)构造剥蚀中低山区：分布在蓟县山区北部，由石灰岩、石英岩、砂岩、硅质白云岩、花岗岩组成，标高在200米以上，最高达1076米，相对高差200~400米，山势高峻陡直、巍峨挺拔、峰峦迭起、沟谷狭窄、下切严重、峪岭交错、地形变化复杂。因本区坡度较大，滑坡、崩塌现象时有发生。此区位于靠山集—下营—孙各庄一线以北，分布面积约120平方公里。

(2)侵蚀剥蚀低山丘陵区：由硅质白云岩夹碎屑岩组成。本区地形特征，平均海拔400~500米，最高峰为盘山的挂月峰，海拔高度为857米，坡度20°左右。河谷较宽，阶地发育，间歇河流作用强烈。此区分布在靠山集—下营—孙各庄一线以南，面积达450平方公里。

(3)剥蚀侵蚀丘陵区：分布地区由硅质白云岩组成，山体呈浑圆状，平均海拔为300米，最高峰为大转山，海拔395米。冲沟呈宽阔的“U”形。此区分布于于桥水库南侧，面积为145平方公里。

(4)剥蚀堆积山间盆地区：此区分布在蓟县东部向遵化县城伸延，面积约380平方公里。其范围四周由硅质白云岩构成的低山丘陵环境，盆地内基底为白云岩，上覆厚度不等的松散地层，盆地中心地面标高25~50米，地势呈北高南低，坡降1‰~2‰左右。

2.2　堆积平原区

此区地貌按其形态特征和成因划分为以下次级单元：

(1)山前冲洪积扇形倾斜平原：北部以基岩山区倾没线为界，南缘大致以刘顶子—泗溜—礼明庄为界。由间歇性河流搬运堆积碎石，砾石和黏性土，沿山前呈扇形堆积而成。地面标高10～50米，由北至南递减，坡降5‰～8‰。

(2)洪积冲积平原：由洵河、州河冲积而成。表层岩性以亚砂土为主，地面标高4～5米，地势平坦，坡度小于0.5‰。

(3)冲积平原：分布在武清县、宝坻县，由永定河、潮白河搬运堆积而成，表层岩性以亚砂土为主，兼有河泛堆积砂类土和粉细砂，地面标高4～8米，坡降小于0.5‰。

(4)海积冲积平原：由近代海侵层和河流冲积而成，地势平坦，标高2～4米。河流水系发育，河间洼地较多，静海地区埋藏有浅层古河道，并有岛状盐渍土分布和存留4道海生"贝壳堤"，其形成时间是距今3400年左右，此后海水东退成陆。

(5)海积低平原：沿海岸呈条带状分布，标高1～2米，地形微倾向海面，多盐滩和盐渍荒地。地带岩性以淤泥质亚黏土为主，水位线带受海潮沿河内伸侵渍土层而积盐。

2.3　海岸潮间带区

以潮汐作用所形成的近岸海底地形，兼有黄河、海河、滦河入海口堆积作用。按其部位划分潮间带和水下岸坡带。前者位于高潮线和低潮线之间，又称海涂或海滩，潮差1.5～2.2米，滩宽2～4公里。坡面倾向海外，坡降2‰～4‰，以泥沙堆积为主。水下岸坡带，大致以低潮线为界的下岸坡部分，一般不出露海平面，以稳定的黏泥为主，坡降0.5‰～1‰。

3　土　壤

全市土壤分布从山地、丘陵、平原到滨海，依次为棕壤、褐土、潮土、水稻土、沼泽土、湿土和盐土，共17个亚类，55个土属，459个土种。山区地带性土壤为褐土，占总面积的6.47%，还有些棕壤，只占总面积的0.07%。平原形成非地带性土壤多为潮土，占总面积的72%。其次是滨海盐土占6.97%；还有少量沼泽土和水稻土。

4　气　候

天津市气候属暖温带半湿润大陆性季风气候，特点是四季分明。春季干旱多风，夏季炎热多雨，秋季晴朗气爽，冬季寒冷干燥。全年以冬季最长，有156～167天，夏季次之，有87～103天，春季56～61天，秋季最短，约为50～55天。

(1)年平均气温：近5年(2004～2008年，下同)天津市市区平均气温为13.0℃，较前5年平均高出0.3℃，较累年值高出0.8℃。北郊近5年平均气温为12.5℃，较前5年高出0.2℃，较累年值高出0.7℃。

(2)年降水量：近5年天津市市区平均降水量为547.7毫米，较前5年平均多32.5毫米。近5年北郊平均降水量为558.7毫米，较前5年平均多30.5毫米。

(3)年平均风速及风向：近5年，市区平均风速为2.1米/秒，较前5年减小0.7米/秒，较累年平均减小0.9米/秒。近5年北郊平均风速为2.1米/秒，与前5年平均风速相等，较累年平均减小0.9米/秒。无论市区、郊县，总的趋势是风速在减小。由于建筑物逐年增多以及城乡植树造林使平均风速减小。

5 水 文

天津市的地下水分布，在山区以裂隙为主，多以泉水出露，涌水量为1~4升/秒，水质良好，重碳酸盐钙纳型。平原地下水分为淡水区和咸水区两部分。全淡水区分布于北部蓟县平原、宝坻、武清、宁河的北部，在咸水区或有的咸水层上的浅层及下层仍有淡水。全市地下水可开采量为8.7亿立方米/年。目前农业用水量15.13亿立方米/年。除蓟县平原外，普遍供水紧张。同时，无论地表水还是地下水，均有不同程度的污染。

天津市一级河道共有19条，总长度1095.1公里，二级河道79条，总长1363.4公里，在全市境内形成了水系相通的平原河网，在全市境内还分布着大小不同，深度不一的洼淀，水库60座，其中较大的有于桥水库、尔王庄水库、北大港水库、团泊洼、黄庄洼和七里海等。

1983年10月竣工的引滦入津输水工程为天津市主要饮用水输水河道，海河贯穿市中心，兼有蓄水、航运、排洪、浏览及工业用水等多种功能，在经济发展和人民生活中有极为重要的地位。

天津市地表水资源主要来源于上游各河流和本区降水。

6 动植物概况

天津是一个地域窄小，人口稠密的大城市，但物种多样性十分高，有多种类型的生态系统和大量的生物物种。据调查统计，共有动植物2300余种，分布在山区的有1524种，平原湿地有400百余种，海洋生物约有380余种。

天津市植被为暖温带落叶林，混有温性针叶林和次生灌丛。植物区系以华北成分为主，以菊科、禾本科、豆科和蔷薇科种类最多，其次是百合科、莎草科、伞形科、毛茛科、十字花科及石竹科等。草本植物多于木本植物。平原因农业生产历史悠久，自然原生植被已不存在。非地带性植被有杂草草甸、盐生草甸，且分布较广；坑塘洼淀中有芦苇沼泽植被。

天津市湿地植被具有种类组成比较丰富，生活型齐全，优势种多，覆盖度大的特点，且植物区系的温带性质明显，世界广布属占重要地位。天津市湿地共有高等植物291种，其中裸子植物4科6属8种，被子植物65科194属283种。被子植物中，双子叶植物55科157属225种，单子叶植物10科37属58种。高等植物中，野生植物36科104属164种，栽培植物51科105属127种。

天津市动物主要以脊椎动物区系组成。经初步调查，天津市湿地中的野生脊椎动物共计318种。其中两栖类7种，爬行类11种，哺乳类14种，湿地水鸟160种，鱼类126种。

第二节 社会经济状况

1 人口和民族

2008年年末，全市常住人口1176万人。年末户籍人口968.87万人，其中农业人口380.60万人，非农业人口588.27万人。全年人口出生率为8.13‰，人口死亡率为5.94‰，人口自然增长率为2.19‰。全市人口密度为1000人/平方公里，人口密度大于北京而小于上海。

天津市人口高度聚集在市辖区，市辖区人口为793.85万人，占全市总人口的81.94%。市辖县(宁河、静海和蓟县)人口仅为175.02万人，占全市人口的18.06%。

天津市人口中，汉族人口最多，除汉族外，有29个少数民族。在这些少数民族中，回族人口最多，其次为满族、蒙古族等。

2 工农业生产情况

天津市是一个老工业基地，轻重工业都比较发达，工业在天津市国民经济中占有举足轻重的地位，国民收入的2/3是靠工业部门创造的。据核算，天津市2008年实现地区生产总值(GDP)6354.38亿元，比上年增加1303.98亿元，增量首次超过1000亿元，按可比价格计算，增长16.5%，增幅比上年提高1.3%。2008年，天津第一产业增加值122.58亿元，增长3.1%。第二产业增加值3821.07亿元，增长18.2%。第三产业增加值2410.73亿元，增长14.7%。三次产业结构为1.9：60.1：38.0。按常住人口计算，全市人均生产总值达到55473元，按年平均汇率折合7987美元，增长11.3%。

全市农业总产值完成267.94亿元，比上年增长3.3%。在农业总产值中，种植业产值128.01亿元，增长3.2%；林业产值2.22亿元，增长1.2%；畜牧业产值85.19亿元，增长3.5%；渔业产值44.14亿元，增长3.4%；农林牧渔服务业产值8.38亿元，增长2.0%。养殖业(畜牧业和渔业)占农业总产值的比重为48.3%，比上年提高1.3%。

粮食连续5年增产。2008年粮食种植面积440.26万亩，粮食总产量达到148.93万吨，增长1.2%，为近9年来最好水平。2008年新增设施农业面积10万亩，建成20个现代畜牧业示范园区和14个优势水产品养殖园区，生猪生产持续恢复增长，2008年生猪出栏290.12万头，增长10.7%。

新农村建设进程加快。全面落实强农惠农政策，加大支农投入力度。农业产业化经营取得成效，进入产业化体系农户达到80%，比上年提高5%。节水灌溉面积达到22.89万公顷，比上年增长8.1%。以宅基地换房建设示范小城镇试点工作成效显著，10万农民迁入新居。华明镇入选2010年上海世博会最佳实践区。全市人口城镇化率达到77.23%，比上年提高0.92%。农村环境基础设施建设取得新进展，新建和改造农村公路1000公里、地下给排水管道520公里。开展了大规模的农村环境综合治理，建成一批污水处理厂、垃圾转运站。

滨海新区开发开放势头强劲。2008 年滨海新区生产总值完成 3102. 24 亿元，按可比价格计算，比上年增长 23. 1%，增幅比上年提高 2. 6 个百分点，比全市 GDP 增速快 6. 6 个百分点。新区主要经济指标保持较快增长。2008 年完成工业总产值 7616. 81 亿元，增长 29. 4%，增幅比上年提高 8. 6%。固定资产投资完成 1650. 52 亿元，增长 43. 2%。社会消费品零售总额 330. 75 亿元，增长 29. 3%。直接利用外资合同金额 91. 86 亿美元，实际到位 50. 77 亿美元，分别增长 19. 8% 和 29. 4%，占全市的比重分别为 69. 3% 和 68. 4%。开发区经济保持较快增长。据商务部统计，天津经济技术开发区总体指标继续在全国 53 个国家级开发区中位居第一，主要经济指标连续 11 年领跑。保税区充分发挥国际贸易、保税仓库和物流分拨功能，全年完成进出区货物总值 417 亿美元，增长 26%。

天津市 2008 年林业总产值达到 2. 22 亿元，农村共完成造林面积 1. 52 万公顷，植树 2000 余万株，均超额完成年度计划任务。2008 年全市有林地面积为 18. 73 万公顷，封山育林面积 2. 60 万公顷，果园面积 3. 51 万公顷。截至 2013 年年底，全市农村地区成片林木绿化率达到 22. 8%，通过高标准实施林业重点工程，进一步提升了天津市造林绿化水平，优化了生态功能，改善了绿化景观。

第二章 湿地类型

本次调查对天津市面积在8公顷以上的湿地进行普查，包括面积为8公顷(含8公顷)以上的近海与海岸湿地、湖泊湿地、沼泽湿地、人工湿地以及宽度10米以上，长度5公里以上的河流湿地。

根据湿地的重要性、调查内容的不同，分为一般调查和重点调查。

一般调查是指对所有符合调查范围要求的湿地斑块进行面积、湿地型、分布、植被类型、主要优势植物和保护管理状况等内容的调查。

重点调查是指对天津市范围内的符合以下条件之一的湿地进行的详细调查：

(1)已列入《中国湿地保护行动计划》的国家重要湿地名录的湿地；

(2)已建立的各级自然保护区中的湿地；

(3)除以上条件之外，符合下列条件之一的湿地：①省区特有类型的湿地；②分布有特有的濒危保护物种的湿地；③其他具有特殊保护意义的湿地。

第一节 遥感解译

本次湿地资源遥感调查，以CBERS-CCD为主要数据源，天津市共涉及数据影像5景，覆盖天津市全境。另外，对于重点调查湿地另行获取SPOT 5高分辨率数据4景，覆盖天津市全部重点调查湿地。表2-1所示为采用的遥感数据情况。

本次调查中，遥感影像的解译过程包括以下步骤。

1 数据的处理

CBERS-CCD数据处理包括几何精校正、波段组合、图像增强和图像镶嵌处理。

1.1 几何精校正

CBERS-CCD数据的几何精校正包括三个环节：一是控制点选取；二是像素坐标变换；三是像素重采样。具体步骤如下：

表 2-1 调查采用的遥感数据

数据源	数据获取时间	数 量
CBERS	2008 年 7 月 4 日	1 景
	2008 年 8 月 2 日	2 景
	2008 年 9 月 20 日	2 景
SPOT 5	2007 年 9 月 21 日	1 景(覆盖北大港、滨海)
	2007 年 9 月 22 日	2 景(覆盖大黄堡、团泊洼)
	2008 年 9 月 20 日	1 景(覆盖七里海、滨海)

(1)控制点选取：在 1∶50000 比例尺的地形图上选取控制点。控制点选择要求：

- 在 1∶50000 比例尺的地形图上选择明显、未发生变化的地物点，如道路交叉点、水坝头等作为控制点。
- 每景 CBERS-CCD 控制点不少于 50 个，且分布均匀。
- 控制点平均中误差不大于 1 个像元，即不大于 20 米。

(2)像素坐标变换：CBERS-CCD 数据像元坐标转换依据二元齐次多项式转换为高斯投影下的西安 80 坐标系下的地理坐标。

二元齐次多项式方程如下：

$$x = a_0 + (a_1X + a_2Y) + (a_3X^2 + a_1XY + a_5Y^2) + (a_6X^3 + a_7X^2Y + a_8XY^2 + a_9Y^3)\cdots$$

$$y = b_0 + (b_1X + b_2Y) + (b_3X^2 + b_4XY + b_5Y^2) + (b_6X^3 + b_7X^2Y + b_8XY^2 + b_9Y^3)$$

式中：x、y 为某像元的原始图像坐标；X、Y 为纠正后同名点的地理坐标；a_i，b_i 为多项式系(i =0，1，2…)。多项式系数 a_i，b_i 按照最小二乘法解出。

(3)像素重采样：选用立方卷积法对遥感数据进行重采样，以生成高质量的几何精校正遥感图像。

当影像存在跨带问题时，可用如下方法进行处理：当调查区在相邻两带的面积相差较大时，将面积较小的部分所在带换算到面积较大的部分所在带；当调查区在相邻两带的面积相近时，应移动中央子午线，中央子午线应位于调查区中央区域。天津市处于高斯—克里格投影的第 20 带，不存在跨带问题。

在天津市的 CBERS-CCD 数据的几何校正工作中，各景图像的几何校正控制点中误差见表 2-2。5 景数据几何校正平均误差 0.74 个像元，最大误差 0.79 个像元。

1.2 波段组合

选取 CBERS-CCD 数据的 4、3、2 波段按 RGB 进行波段组合，形成假彩色图像，CBERS-CCD 遥感数据的空间分辨率、波段光谱范围及波段组合方式见表 2-3。

对于 SPOT 5 数据采用 1、2、3 波段按 RGB 进行波段组合，形成假彩色图像。

对于 SPOT 5 数据，采用 Brovey 方法对多光谱数据和全色数据进行了数据融合处理，从而既保留多光谱数据的光谱特征，又增加全色波段的高空间分辨率的特征。

表 2-2　CBERS- CCD 数据几何校正精度

景　号	数据获取时间	中误差
372～56	2008 年 8 月 2 日	15.0745
372～57	2008 年 8 月 2 日	15.7125
373～57	2008 年 8 月 22 日	14.6701
373～56	2008 年 9 月 20 日	13.1733
373～55	2008 年 9 月 20 日	15.5110
最大误差		15.7125
平均误差		14.8283

表 2-3　CBERS-CCD 遥感数据的波段选择及组合

遥感数据	光谱范围(微米)	空间分辨率(米)	选择的波段组合
CBERS-CCD 数据	B1　0.45～0.52	19.5	B432 按 RGB 组合
	B2　0.52～0.59	19.5	
	B3　0.63～0.69	19.5	
	B4　0.77～0.89	19.5	
	B5　0.51～0.73	19.5	

1.3　图像增强

对遥感数据以湿地资源为主体进行图像增强处理，采用分段线性拉伸进行图像增强处理，应尽量增大不同地物间的色彩反差，同时兼顾全景的效果，做到图面影像色彩层次分明，明暗适当，地物可识别性好。

1.4　图像镶嵌

对多景遥感影像进行镶嵌处理。当镶嵌的影像存在色调差异时，要对影像进行均衡处理，使相邻影像色调一致。

从理论上说，当镶嵌的影像存在色调差异时，要对影像进行均衡处理，使相邻影像色调一致。考虑到镶嵌的图像是用于解译和区划判读，而不是生成影像地图，因此为保持光谱信息不丢失，在镶嵌处理中并未对影像存在的色调差异进行均衡处理。图 2-1 为以省级行政边界对镶嵌图像进行裁剪得到的天津市 CBSER-CCD 影像图。

2　判读人员的培训

为了保证遥感数据判读的准确性，对参加天津市湿地调查判读的 12 名工作人员进行技术培训，熟悉技术标准，掌握 GIS 与遥感技术的基础理论及相关软件的使用。判读人员除进行遥感判读知识培训外，还应进行专业知识的学习和野外实践培训等。

图 **2-1** 天津 **CBSER-CCD** 影像图

3 解译标志的建立

3.1 解译标志建立原则及要求

遥感判读解译标志建立要依据遥感影像特征和遥感影像解译基本原理，采用遥感信息与地学资料相结合，现地调查与现有资料、专家经验相结合的手段，通过综合分析与主导分析相结合的方法建立不同数据源不同时相、不同类型的解译标志，具体要求：

(1)根据遥感影像的不同数据源、不同时相(物候)、不同的目的判读因子，分别建立调查区遥感工作所需的解译标志，并具有全面性和代表性。

(2)按湿地遥感调查解译标志记录卡的要求，清楚描述直接判读要素(色调、形状、大小、纹理、阴影等)及间接判读要素(地物分布位置和获取时相等)。

(3)以影像特征差异最大化、最清晰化为原则，并力争做到谁判读区划谁建标，规范准确建立解译标志。

(4)建标线路不少于5条，调查区域内各类型湿地判读因子的解译标志不能遗漏，每个类型的解译标志不少于5个，所有解译标志总数不少于180个。

3.2 解译标志的建立

通过对湿地遥感调查区内的水文、土地覆盖、地形、地貌、气象、土壤、植被等背景资料进行整理分析，收集与影像信息相关的资料，开展野外踏勘调查，通过专家知识的推理，建立各湿地类型与影像的色调、纹理和形状等特征的相应关系，形成解译标志，具体步骤如下：

(1)室内预建：首先全面观察调查区遥感影像，了解监测区地形地貌、目的类型特征分布情况及交通状况，然后根据解译任务的需要，在项目判读分类系统下，初步制定所要建立解译标志的类型、数量，选取的野外踏查点应满足遥感影像色彩类型齐全，有充分代表性；类型齐全，有分类系统中较全的判读因子，同时判读人员要熟悉监测区情况等条件确定外业调查路线。

(2)现地调查：按照设计的路线，使用地形图、GPS现地定位，调查记载所到地块的经纬度(公里网坐标)、湿地类型、植被类型、优势植物种。

(3)建立解译标志：依据湿地遥感调查解译标志记录卡，综合野外踏查的感性认识，将计算机影像或遥感影像平面地图特征与解译标志记录卡上记录的实地情况一一对照，以遥感影像色调、纹理为基础，依据现地所调查记载的湿地类型、植被类型、优势植物种等信息，并充分利用调查区内的水文、土地覆盖、地形、地貌、气象、土壤、植被等背景资料，通过野外踏查和室内分析对判读类型的定义、现地实况形成统一认识，建立各类型与影像特征的对应关系，形成判读标准。同时，在实际判读过程中，继续确认解译标志的准确性和完整性，必要时修订解译标志。

(4)建立解译标志库：将已形成的解译标志，按下表的格式建立湿地资源遥感调查影像解译标志库，根据实际判读过程中出现的新情况，继续补充完善解译标志库，并对其进行动态管理、更新与维护。

天津市主要湿地类型的遥感解译标志描述见表2-4。

表2-4 天津主要湿地类型的遥感解译标志

湿地类型	解译标志描述	遥感影像片段
浅海水域	色调呈蓝色或蓝绿色。浅海水域的边界(-6米线)无法从CBERS-CCD遥感影像中获得，只能通过海图或者地形图插值得到	

（续）

湿地类型	解译标志描述	遥感影像片段
淤泥质海滩	色调呈黄褐色。淤泥质海滩可以在CBERS-CCD 遥感影像中分辨，实际解译时结合海图或者地形图进行区划	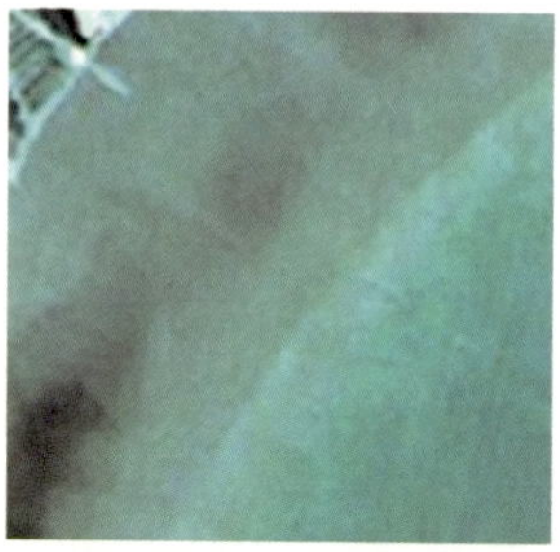
河口水域	从近口段的潮区界（潮差为零）至口外海滨段的淡水舌锋缘之间的永久性水域。实际操作中，由靠近河口的第一座桥梁作为近口段的潮区界，淡水舌锋缘则由水体清浊边缘为界	
永久性河流	不规则的线状或面状，色泽呈深蓝绿色，色调饱满	
洪泛平原湿地	不规则的面状区域，生长有湿生植被，颜色呈暗红色，间或透出深蓝色	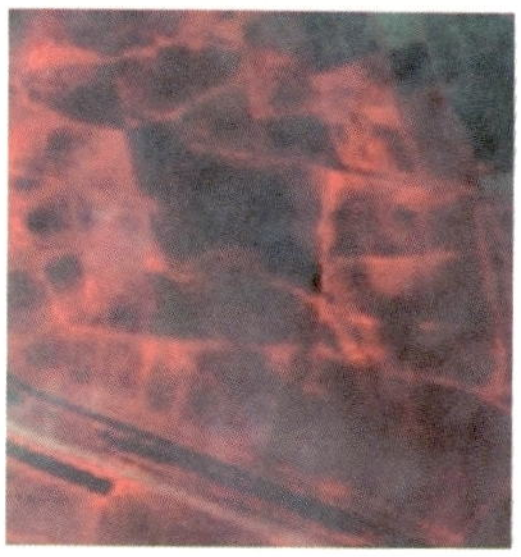
永久性淡水湖	影像特征上与库塘十分相似，颜色深蓝绿色，色调饱和。为区分永久性淡水湖和库塘，需要结合地面调查	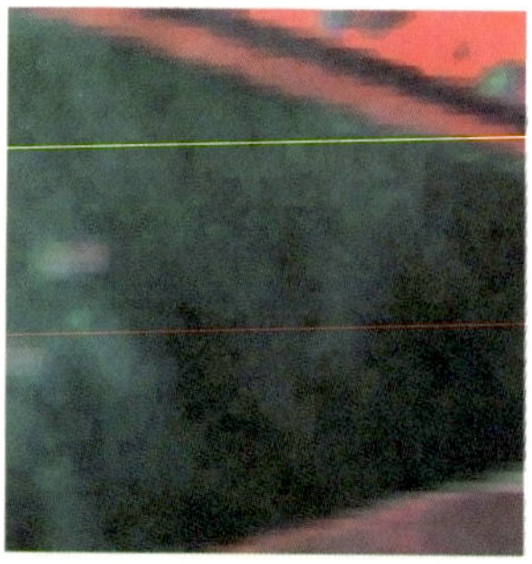

（续）

湿地类型	解译标志描述	遥感影像片段
草本沼泽	形状大多不规则，蓝绿色的基调(水)中呈现红色的斑点(水生植物)	
库　塘	几何形状大多不规则，颜色深蓝绿色，色调饱和。为区分永久性淡水湖和库塘，需要结合地面调查	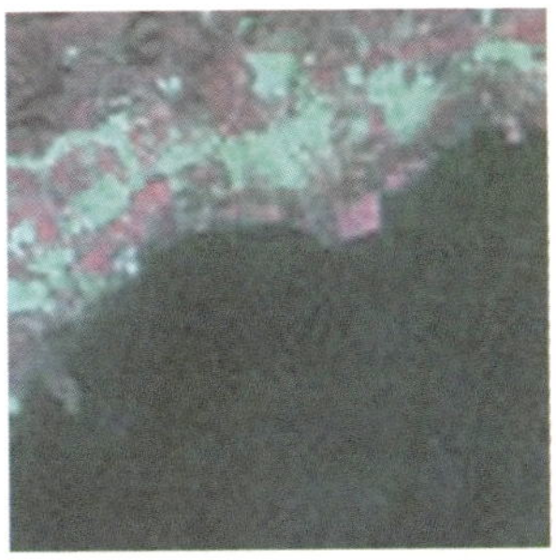
运河/输水河	运河/输水河在色调上与有水的河流是相同的，区别主要在于河流的形状大多是不规则的线状或面状，而运河、输水河的形状一般是规则的	
水产养殖场	形状比较规则的面状斑块，通常连接成片，颜色深蓝绿色。在天津境内有许多台田构成的水产养殖场，连接成片，水面之间由农田所分割，图像上呈现红、蓝相间的纹理	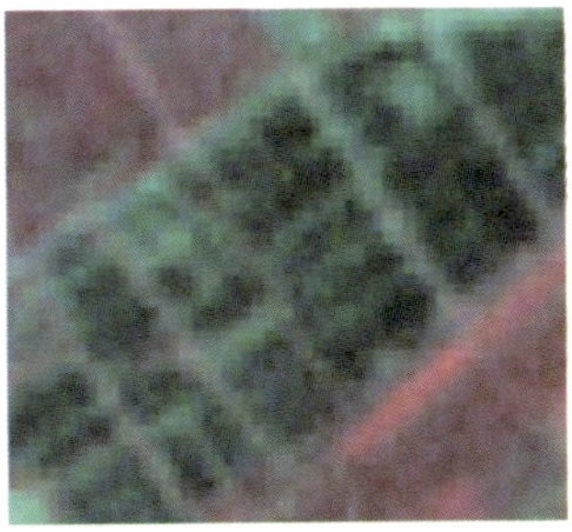
盐　田	形状规则，面积较大，分布范围广，颜色蓝黑色，色调饱和	

4 判读分类系统及正判率

4.1 判读分类系统和正判率

判读分类系统按照《全国湿地资源调查技术规程》的要求，分为5大类16型。不同类型的湿地要求有不同的正判率，近海及海岸湿地要求达到95%以上，河流湿地95%以上，湖泊湿地95%以上，沼泽湿地85%以上，人工湿地90%以上，综合正判率要求达到90%以上。

4.2 试判读和正判率考核

选取3~50个判读样地或图斑，要求判读人员对判读类型进行识别，综合正判率超过90%才可上岗。不足90%进行错判分析和第二次考核，直至正判率超过90%为止。

5 区划判读

5.1 判 读

5.1.1 人机交互判读

判读工作人员在正确理解分类定义的情况下，参考有关文字、地面调查资料等，在GIS软件支持下，将相关地理图层叠加显示。将计算机屏幕放大到1:25000比例尺以上。全面分析遥感图像数据的色调、纹理、地形特征等，将判读类型与其所建立的解译标志有机结合起来，准确区分判读类型。以面状图斑和线状地物分层判读。建立判读卡片并填写遥感信息判读登记表。

判读勾绘图斑界线须与遥感影像图上不同类型变更线相吻合，并且闭合。相邻景(幅)应自然接边，线要素与面要素既要进行几何位置接边，又要进行属性接边。

数据具有严格的拓扑结构，不存在拓扑错误。必填属性数据不能为空值，相关图层(类型图斑与线状地物、类型图斑与权属界线等)的空间关系必须正确。

判读结果须经地理信息系统软件，进行数字化录入至图形数据库中。湿地斑块或湿地区须按《全国湿地资源调查技术规程》的要求进行编码和属性描述。提交成果采用Arc/Info格式。

5.1.2 图斑判读要求

图斑区划的最小单位为8公顷。每个判读样地或图斑要按照一定规则进行编号，作为该判读单位的唯一识别标志。并按判读单位逐一填写判读因子，生成属性数据库。

5.1.3 河流的判读

判读范围为宽度在10米以上、长度在5公里以上的河流。如果遥感影像达不到判读要求，可以采用典型调查的方式进行，即借助地形图和GPS野外定点调查现地调绘。

为了提高面积量算的准确性，对于宽度大于3像元的河流按面状斑块解译，宽度小于3像元的河流按线状斑块解译。CBERS卫星分辨率为19.5米，低于河流10米起调的要求。在遥感影像上，由于河流与非河流光谱差异比较明显，故10米宽度的河流能够分辨，但是宽度难于精确确定。在区划判读过程中，依据其他资料估算河流的平均宽度，再由现地调查进行修正。

5.1.4 双轨制作业

要求一人按图斑区划因子进行图斑区划并进行判读，另一人对前一人的区划结果进行检查，发现区划错误时经过协商进行修改；区划确定后第二人进行“背靠背”判读，判读类型一致率在90%以上时，可对不同图斑进行协商修改，达不到时重判。

利用卫星遥感图像进行湿地植被调查是一项新的技术，不同的调查人员因理解、经验等方面的差异，在遥感图像判读过程中容易出现漏判、错判的现象。通过双轨制作业，可提高目视判读的一致率。对有异议的图斑类型通过协商取得一致意见，并可以及时发现存在的问题，不断积累经验，将解译标志与显示状态(色彩、色调、纹理、形状、分布)等有机结合起来，准确区分判读类型。

5.1.5 质量检查

质量检查是对遥感图像的处理、解译标志的建立、判读的准备与培训、判读及外业验证等各项工序和成果进行检查。应组织对当地熟悉和有判读实践经验的专家对判读结果进行检查验收，对不合理及错误的判读及时纠正。

5.2 数据统计

5.2.1 面积求算

遥感影像判读完成后，在GIS软件中，将面状湿地判读图、线状湿地判读图、分布图和境界图进行叠加分析，求算各图斑的面积，面积单位为公顷，输出的数据保持小数点后一位。判读出的主要单线河流的面积统计，可根据野外调查给出平均宽度而求得。

5.2.2 数据记录和统计

遥感判读湿地斑块的记录内容：

- 湿地名称：根据现有的湿地名称或地形图上就近的自然地物、居民点等进行命名。
- 湿地类型：按照湿地分类的要求，分5大类34型进行填写。
- 湿地编码：根据湿地编码的相关规定进行填写。
- 湿地面积(公顷)：直接按照遥感影像判读的数据填写。
- 湿地分布：分行政区和中心点地理坐标填写。
- 所属流域：按照全国一、二级流域的分类，填写到二级流域。
- 水源补给类型：按照地表径流补给、大气降水补给、地下水补给、人工补给、综合补给5个类型填写。
- 植被类型及面积(公顷)：以野外实地调查为主。
- 主要优势植物种：填写野外调查到的主要优势植物种。
- 河流湿地：填写河流湿地的河流级别。

按各省(直辖市、自治区)分县(市)行政区划图叠加，统计出各类型湿地、湿地总面积和其他土地利用类型面积。同时也可按流域计算各湿地类型的面积。

5.2.3 解译精度

覆盖符合湿地定义的我国领土范围内的各类湿地资源，包括面积为8公顷(含8公顷)以上的近海与海岸湿地、湖泊湿地、沼泽湿地、人工湿地以及宽度10米以上，长度5公里以上的河流湿地。

5.2.4　辅助解译数据源

辅助解译数据源为全国 1∶50000 DLG 数据，该数据采用 1980 西安坐标系，1985 国家高程基准。

主要的辅助图层为水系(面、线)，其主要属性如下：

- 层名：HYDNT；
- 层描述：所有面、线状水系要素的数据集合，主要包括河流、湖泊、水库、沼泽等；
- 原始资料源：地形图、数字栅格地图；
- 更新资料源：1∶50000 航片正射影像、卫星遥感影像、地名数据、水系名称代码；
- 数据现势性：面状水域轮廓线的现势性可达到 1996 ~ 2003 年，与更新影像资料源现势性一致；水系名称、级别的现势性可达到 2000 年，与 1∶50000 地名数据、水系名称代码现势性一致。

第二节　湿地类型与面积

1　概　述

1.1　湿地的概念

“湿地”一词源自英文 wetland，原意为潮湿的土地。湿地一般是指从水体到陆地的自然过渡地带。

最早关于湿地的定义是在 1956 年由美国渔业和野生动物局(Fish and Wildlife Service)为保护候鸟及鱼类资源而提出的：“湿地指的是被浅水、暂时或间歇水体所覆盖的低地……，它包括以出露植被为明显特征的浅湖和池塘；但是不包括永久性河流、水库和深湖泊的水面，以及那些对湿地植被生长没有什么效果的暂时性水面。”这一定义列出了湿地的两个基本特征，即湿地水文和湿地植物。

1979 年，加拿大国家湿地工作组(Canadian National Wetlands Working Group)对湿地进行了如下定义：“湿地是指那些水位在地表、接近或高于地表，因而使得土壤在相当长的时间内处于饱和状态的地带。这些条件促成了湿地即水生过程，具体表现为湿地土壤、水生植物和各种适于潮湿环境的生物活动。”

同年，美国渔业和野生动物局对湿地的定义进行了补充修改：湿地是指从陆地系统向水系统过渡的地带，其地下水位通常是处于或接近地表，或整个地带被浅水覆盖。湿地应至少具备下面 3 项特征中的一个：①至少间歇地支持以湿地植物为主的植被；②基层主要是未被排水的湿地土壤；③如基层不是土壤，则在每年生长期的一段时间内处于饱和状态或被浅水所覆盖。与加拿大的湿地定义相比，渔业和野生动物局的定义有两处较大的改动：一是湿地不必常年支持湿地植物；二是湿地可以在特殊条件下只具有 3 项指标中的 1 项。在美国水资源保护中具有里程碑地位的净水法案(Clean Water Act，1977)中第404条将湿地定义为："能够在一定的保证率情况下，在特定的时段内被地表或地下水淹没或饱和的地带，并且在正常情况下支持适宜于饱和土壤条件下生活的植被生长……"此后，湿地的3个特征，即湿地水文、湿地植物和湿地土壤，就成为识别湿地的依据。

湿地概念直到20世纪80年代中期才在国内得到广泛流传。在此之前，从20世纪20年代开始我国一直使用"沼泽"的概念，并且在20世纪50年代就开始了大规模的沼泽研究并取得了较大进展。由于沼泽是最典型的湿地类型，我国学者对湿地概念的接受是一个渐进的过程。直到目前为止，由于湿地生态系统的功能复杂性、类型多样性以及研究者的知识背景和研究目的等原因，在湿地的研究和保护中，对于湿地的定义还存在不同的观点。

不同的研究者或研究部门先后对湿地做出了多种定义，其中在学术界影响较大的湿地定义约有60种。

目前关于湿地的多种定义，广义的，也是被公认的，主要是管理者给出的定义，最权威、最具代表性的就是《湿地公约》中对湿地的定义："天然或者人工、长久或者暂时性的沼泽地，泥炭地或水域地带，静止或流动的淡水、半咸水、咸水水体，包括低潮时水深不超过6m的水域；同时，还包括临近湿地的河湖沿岸、沿海区域以及位于湿地范围内的岛屿或低潮时水深不超过6 m的海水水体"。由于《湿地公约》中所定义的湿地范围广泛、概念清晰、界定明确，同时也比较适合我国湿地的特点，因此在我国被广泛采用。

本次湿地资源调查即是在《湿地公约》定义的基础上，结合我国的实际情况进行定义并分类的。

1.2　天津市湿地类型及分布

根据《中华人民共和国国家标准：湿地分类》(GB/T 24708—2009)标准，全国湿地划分为5类34型，其中天津市分布的湿地为5类11型，各湿地类、型及其划分标准见表2-5。天津市湿地分布如图2-2。

表2-5　天津湿地类、型及划分标准

序　号	湿地类	代　码	湿地型	划分技术标准
1	近海与海岸湿地	101	浅海水域	浅海湿地中，湿地底部基质为无机部分组成，植被盖度<30%的区域，多数情况下低潮时水深小于6米。包括海湾、海峡
		106	淤泥质海滩	由淤泥质组成的植被盖度<30%的淤泥质海滩
		109	河口水域	从近口段的潮区界(潮差为零)至口外海滨段的淡水舌锋缘之间的永久性水域
2	河流湿地	201	永久性河流	常年有河水径流的河流，仅包括河床部分
		203	洪泛平原湿地	在丰水季节由洪水泛滥的河滩、河心洲、河谷、季节性泛滥的草地以及保持了常年或季节性被水浸润内陆三角洲所组成
3	湖泊湿地	301	永久性淡水湖	由淡水组成的永久性湖泊

（续）

序　号	湿地类	代　码	湿地型	划分技术标准
4	沼泽湿地	402	草本沼泽	由水生和沼生的草本植物组成优势群落的淡水沼泽
5	人工湿地	501	库　塘	以蓄水、发电、农业灌溉、城市景观、农村生活为主要目的而建造的，面积不小于8公顷的蓄水区
		502	运河/输水河	为输水或水运而建造的人工河流湿地，包括以灌溉为主要目的的沟、渠
		503	水产养殖场	以水产养殖为主要目的而修建的人工湿地
		505	盐　田	为获取盐业资源而修建的晒盐场所或盐池，包括盐池、盐水泉。

1.3 各湿地类型的湿地面积

天津市湿地总面积29.56万公顷(未包括水稻田的面积)，占天津市国土面积的17.1%(未包括浅海水域面积)，远远高于全国的湿地占国土面积5.56%的平均比例。据天津市农业局的统计数据，2008年的水稻田面积为1.50万公顷，如果加上水稻田的面积，则天津市的湿地总面积为31.06万公顷。在本次调查的天津市湿地总面积中，近海与海岸湿地面积为10.43万公顷，占湿地总面积的35.29%；河流湿地面积为3.23万公顷，占湿地总面积的10.92%；湖泊湿地面积为0.36万公顷，占湿地总面积的1.22%；沼泽湿地面积为1.09万公顷，占湿地总面积的3.70%；人工湿地面积为14.45万公顷，占湿地总面积的48.87%。各类型湿地及面积见表2-6和图2-3。

表2-6　天津湿地类、型面积统计表

序　号	湿地类	代　码	湿地型	湿地面积(公顷)	比例(%)
1	近海与海岸湿地	合　计		104299.75	35.29
		101	浅海水域	91143.17	30.84
		106	淤泥质海滩	11474.73	3.88
		109	河口水域	1681.85	0.57
2	河流湿地	合　计		32264.05	10.92
		201	永久性河流	26675.37	9.03
		203	洪泛平原湿地	5588.68	1.89
3	湖泊湿地	301	永久性淡水湖	3615.45	1.22
4	沼泽湿地	402	草本沼泽	10935.76	3.70
5	人工湿地	合　计		144435.21	48.87
		501	库塘	32690.90	11.06
		502	运河/输水河	6028.83	2.04
		503	水产养殖场	71549.25	24.21
		505	盐　田	34166.23	11.56
总　计				295550.22	100.00

N
蓟县
宝坻区
武清区
宁河县
汉沽区
北辰区
红桥区
南开区
河北区
和平区
河东区
河西区
东丽区
西青区
塘沽区
津南区
静海县
大港区
图例
主要居民点
市界
县区界
铁路
主要公路
近海与海岸湿地
河流湿地
湖泊湿地
沼泽湿地
人工湿地
0 5 10 20 30 40 公里
制图单位：天津市野生动植物保护管理站
清华大学3S研究中心
制图时间：2014年12月

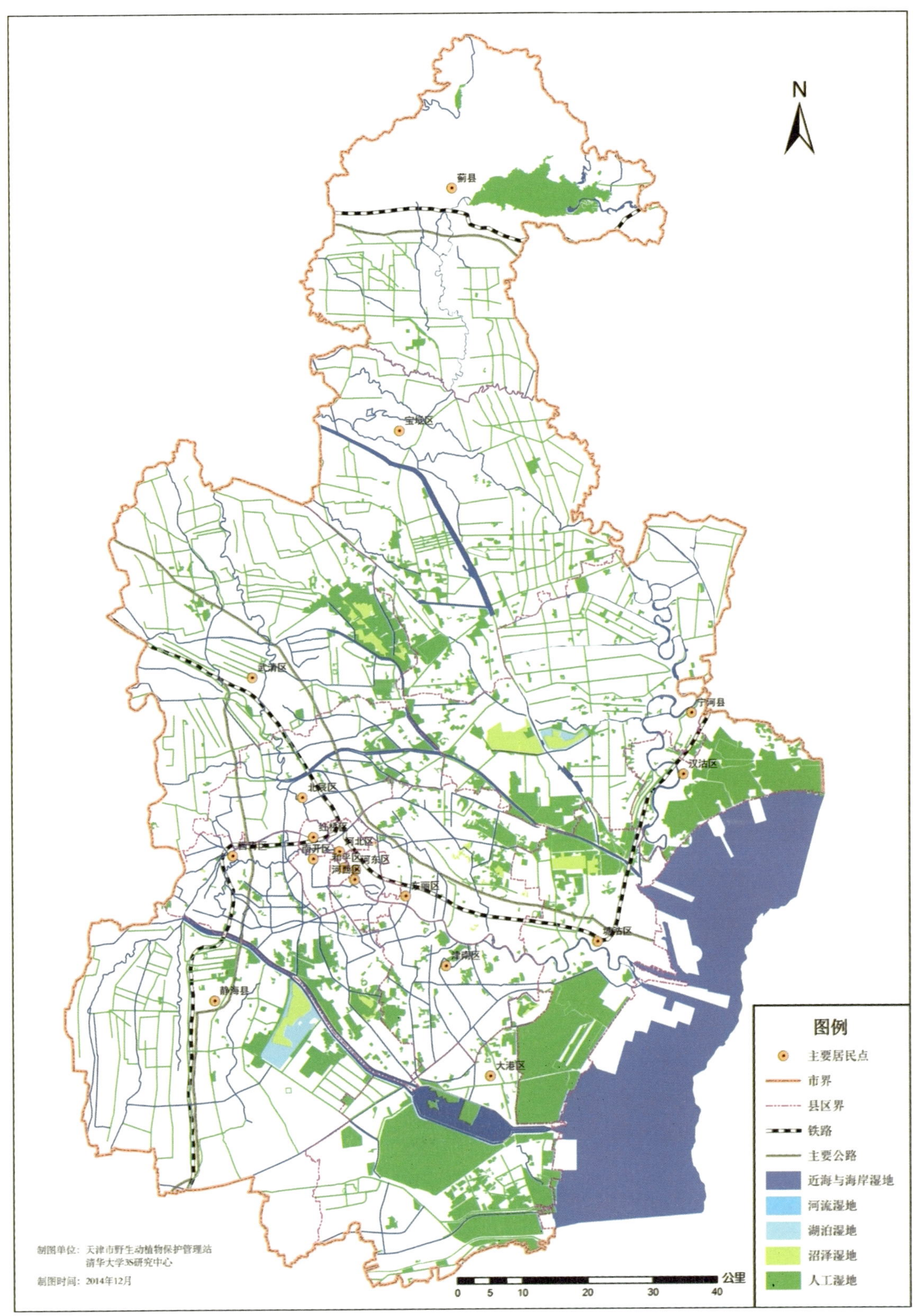

图 **2-2** 天津湿地分布图

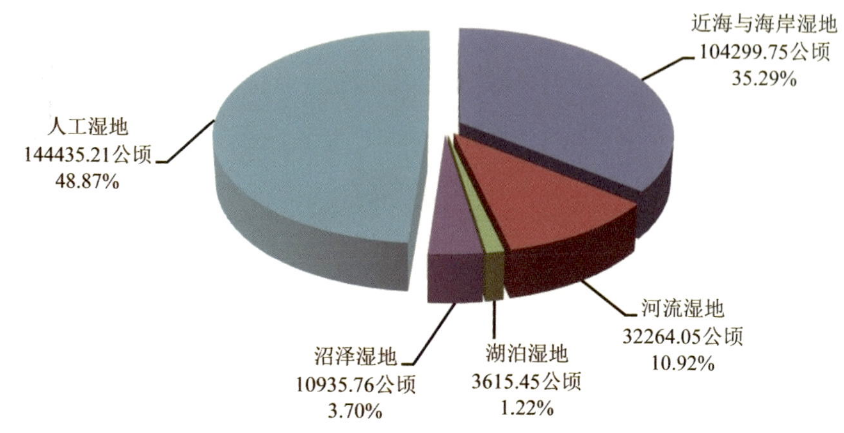

图 **2-3** 天津各湿地类面积饼状图

1.4 各湿地区的湿地类及面积

天津市共分为18个湿地区，包括5个单独区划的湿地区，即七里海湿地区、北大港湿地区、大黄堡湿地区、团泊洼湿地区、滨海湿地区，以及13个以区县命名的零星湿地区(表2-7)。天津市中心的几个城区由于湿地斑块数量较少，合并成一个湿地区，即中心城区零星湿地区。

表 2-7 天津湿地区面积统计表

序号	湿地区名称	主要湿地类	湿地区编码	行政区域	湿地面积（公顷）	比例（%）	斑块数量
1	北大港湿地区	人工湿地	1250001	大港区	31800.84	10.76	27
2	团泊洼湿地区	湖泊湿地	1230002	静海县	5777.63	1.96	6
3	大黄堡湿地区	沼泽湿地	1240003	武清区	7397.35	2.50	42
4	七里海湿地区	沼泽湿地	1240004	宁河县	5144.36	1.74	14
5	滨海湿地区	近海与海岸湿地	1210005	塘沽区、汉沽区、大港区	102370.16	34.64	17
6	中心城区零星湿地区	综　合	120100	和平、河东、河西、南开、河北、红桥	642.54	0.22	18
7	塘沽区零星湿地区	综　合	120107	塘沽区	31467.72	10.65	78
8	汉沽区零星湿地区	综　合	120108	汉沽区	19107.07	6.46	49
9	大港区零星湿地区	综　合	120109	大港区	10940.09	3.70	117
10	东丽区零星湿地区	综　合	120110	东丽区	6347.57	2.15	89
11	西青区零星湿地区	综　合	120111	西青区	10739.99	3.63	94
12	津南区零星湿地区	综　合	120112	津南区	5251.75	1.78	66
13	北辰区零星湿地区	综　合	120113	北辰区	4649.53	1.57	70
14	武清区零星湿地区	综　合	120114	武清区	5561.75	1.88	128

（续）

序号	湿地区名称	主要湿地类	湿地区编码	行政区域	湿地面积（公顷）	比例（%）	斑块数量
15	宝坻区零星湿地区	综 合	120115	宝坻区	13034.19	4.41	194
16	宁河县零星湿地区	综 合	120221	静海县	14334.00	4.85	155
17	静海县零星湿地区	综 合	120223	宁河县	8664.09	2.93	96
18	蓟县零星湿地区	综 合	120225	蓟 县	12319.59	4.17	65
总 计					295550.22	100	1325

在天津市划分的18个湿地区中，面积最大的为滨海湿地区，面积为10.24万公顷，占天津市湿地总面积的34.64%；其次为北大港湿地区，面积为3.18万公顷，占总面积的10.76%；第三为塘沽区零星湿地区，面积为3.15万公顷，占总面积的10.65%。

1.5 各流域的湿地类及面积

天津市划分为1个一级流域，为海河流域，2个二级流域，分别为海河北系和海河南系，3个三级流域，即北三河山区、北四河下游平原和大清河淀东平原(图2-4)。为了便于对近海与海岸湿地的分类管理及编码，在水利部颁布的流域标准上对一级流域、二级流域和三级流域各追加了1个其他类别。

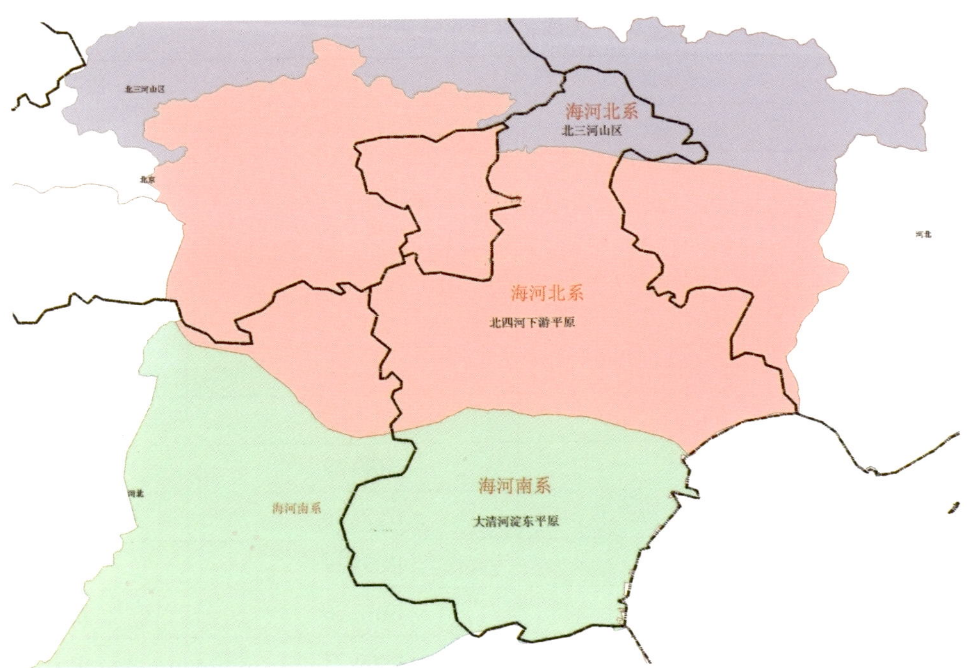

图2-4 天津一、二、三级流域分布图

在海河和滨海湿地2个一级流域中，滨海湿地区面积为10.43万公顷，占35.28%，海河区的湿地面积为19.13万公顷，占64.72%。在海河区一级流域中又分为海河北系和海河南系，海河北系的湿地面积为湿地面积为 8. 01 万公顷，占海河流域湿地的 41. 87%；海河南系的湿地面积为 11. 11 万公顷，占海河流域湿地的 58. 13%。天津市一、二、三级流域湿地统计数据见表 2-8。

表 2-8 天津一、二、三级流域湿地面积统计表

<table>
<tr><th colspan="2">一级流域</th><th colspan="2">二级流域</th><th colspan="3">三级流域</th></tr>
<tr><th>流域名称</th><th>湿地面积(公顷)</th><th>流域名称</th><th>湿地面积(公顷)</th><th>流域名称</th><th>湿地面积(公顷)</th><th>比例(%)</th></tr>
<tr><td rowspan="3">海河区</td><td rowspan="3">191250. 47</td><td rowspan="2">海河北系</td><td rowspan="2">80123. 56</td><td>北三河山区</td><td>12152. 48</td><td>4. 11</td></tr>
<tr><td>北四河下游平原</td><td>67971. 08</td><td>23. 01</td></tr>
<tr><td>海河南系</td><td>111126. 91</td><td>大清河淀东平原</td><td>111126. 91</td><td>37. 60</td></tr>
<tr><td>滨海湿地</td><td>104299. 75</td><td>滨海湿地</td><td>104299. 75</td><td>滨海湿地</td><td>104299. 75</td><td>35. 28</td></tr>
<tr><td colspan="5">总 计</td><td>295550. 22</td><td>100</td></tr>
</table>

1. 6 各行政区的湿地类及面积

从行政区域看，湿地面积前三位的区县分别为塘沽区、大港区和汉沽区，面积分别为 7. 96 万公顷 7. 14 万公顷和 4. 47 万公顷，合计占天津市湿地的 66. 21%（表 2-9），因为它们拥有面积较大的近海与海岸湿地。内陆湿地面积较大的区县依次为宁河县、静海县、武清区、宝坻区、蓟县和西青区，面积均在 1 万 ~2 万公顷之间，其余区县面积均在 1 万公顷以下。

表 2-9 天津各区县湿地面积统计表

序 号	行政区域	湿地面积(公顷)	比例(%)
1	中心城区	642. 54	0. 22
2	塘沽区	79609. 04	26. 94
3	汉沽区	44659. 39	15. 11
4	大港区	71417. 45	24. 16
5	东丽区	6347. 57	2. 15
6	西青区	11574. 94	3. 92
7	津南区	5251. 75	1. 78
8	北辰区	4649. 53	1. 57
9	武清区	12959. 10	4. 38
10	宝坻区	13034. 19	4. 41
11	宁河县	19478. 36	6. 59
12	静海县	13606. 77	4. 60
13	蓟 县	12319. 59	4. 17
总 计		295550. 22	100

注：中心城区包括和平、河东、河西、南开、河北、红桥，共 6 区。

2　近海与海岸湿地

2.1　近海与海岸湿地型及面积

天津市的近海与海岸湿地分布于北纬 38°20′～39°30′的渤海湾海岸地区，南至歧口，北至涧河口，跨越天津市大港、塘沽、汉沽 3 个行政区（现已合并为滨海新区），全长 153 公里，湿地面积为 10.43 万公顷，占全市湿地总面积的 35.29%。该类湿地又可划分为 3 种类型，分别为浅海水域、潮间淤泥质海滩和河口水域（图 2-5、图 2-6）。

（1）浅海水域：低潮时水深小于 6 米的海水区域，面积 9.11 万公顷，占全市湿地总面积的 30.84%，占近海与海岸湿地面积的 87.39%。该湿地的地貌特征是由于冲淤作用，形成了河口水下三角洲、海湾三角洲平原、溺谷、潮脊、潮沟。该湿地也是水生生物资源较丰富的地区。

（2）潮间淤泥质海滩：位于高低潮线之间的潮间带，上界为人工堤岸，下界为零米等深线。面积 1.15 万公顷，占全市湿地总面积的 3.88%，占近海与海岸湿地面积的 11.00%。高潮时可被水淹没，低潮时露出水面，形成滩地，为典型的粉沙淤泥质浅滩。

（3）河口水域：从近口段的潮区界（潮差为零）至口外海滨段的淡水舌锋缘之间的永久性水域。面积 0.17 万公顷，占全市湿地总面积的 0.57%，占近海与海岸湿地面积的 1.61%。

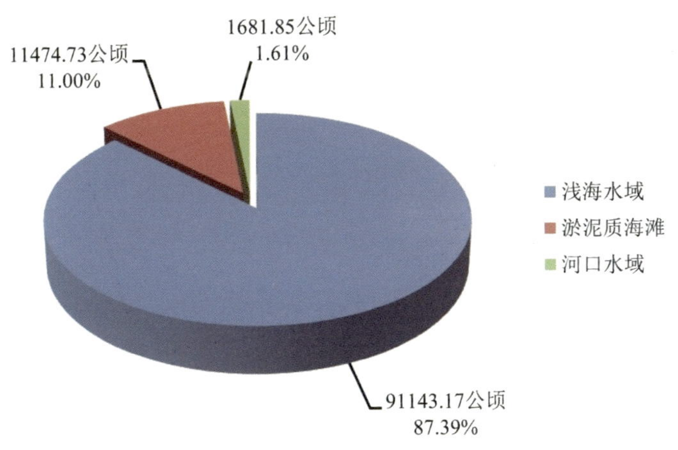

图 **2-5**　天津近海与海岸湿地型面积饼状图

2.2　各湿地区的近海与海岸湿地型及面积

天津市的近海与海岸湿地位于滨海湿地区和北大港湿地区内，其中滨海湿地区的近海与海岸湿地面积为 10.24 万公顷，占 98.15 %；北大港湿地区的近海与海岸湿地面积为 0.19 万公顷，占 1.85 %。天津市各湿地区的近海与海岸湿地面积统计见表 2-10。

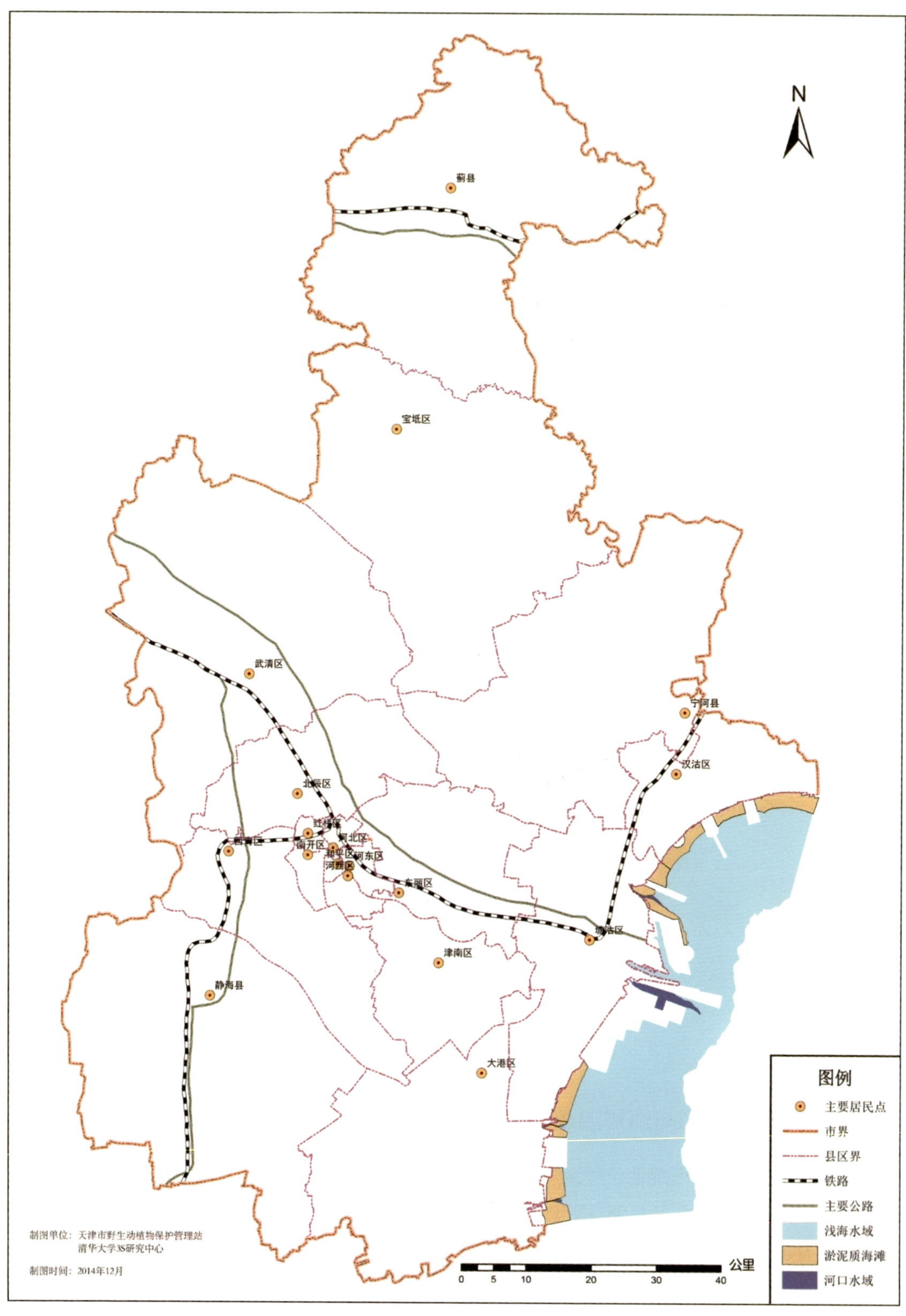

图 **2-6**　天津近海与海岸湿地分布图

表 2-10　天津各湿地区近海与海岸湿地统计表

湿地区	浅海水域（公顷）	淤泥质海滩（公顷）	河口水域（公顷）	合计（公顷）	比例（%）
滨海湿地区	91054.35	9714.71	1601.10	102370.16	98.15
北大港湿地区	88.82	1760.02	80.75	1929.59	1.85
总　计	91143.17	11474.73	1681.85	104299.75	100

2.3　各行政区的近海与海岸湿地型及面积

天津市的近海与海岸湿地分布于大港、塘沽、汉沽 3 个行政区（现已合并为滨海新区），其中塘沽区的近海与海岸湿地总面积为 4.81 万公顷，占 46.16%；汉沽区的近海与海岸湿地总面积为 2.56 万公顷，占 24.50%；大港区的近海与海岸湿地总面积为 3.06 万公顷，占 29.34%（表 2-11）。

表 2-11　天津各行政区近海与海岸湿地统计表

行政区域	浅海水域（公顷）	淤泥质海滩（公顷）	河口水域（公顷）	合计（公顷）	比例（%）
塘沽区	42651.41	3924.18	1565.73	48141.32	46.16
汉沽区	21666.00	3886.32		25552.32	24.50
大港区	26825.76	3664.23	116.12	30606.11	29.34
总　计	91143.17	11474.73	1681.85	104299.75	100

3　河流湿地

3.1　河流湿地型及面积

天津市河流众多，纵横交错，是天津市显著的地理景观。本次列入调查范围的，即宽度 10 米以上，长度 5 公里以上的河流共有 126 条，河流湿地面积为 3.23 万公顷，占湿地总面积的 10.92%。天津市的河流湿地分为永久性河流湿地和洪泛平原湿地两型，其中永久性河流湿地面积为 2.67 万公顷，占河流湿地总面积的 82.68%；洪泛平原湿地面积为 0.56 万公顷，占 17.32%（图 2-7、图 2-8）。

在永久性河流中，按河流级别划分，有一级河流 19 条，面积为 2.04 万公顷，占永久性河流湿地面积的 76.38%；二级河流 69 条，面积为 0.49 万公顷，占永久性河流湿地面积的 18.52%；三级及以下河流 38 条面积为 0.14 万公顷，占永久性河流湿地面积的 5.10%（表 2-12）。

表 2-12　天津河流级别及面积与比例统计表

河流级别	湿地面积（公顷）	比例（%）	数量
一级河流	20373.35	76.38	19
二级河流	4941.24	18.52	69
三级及以下河流	1360.78	5.10	38
总　计	26675.37	100	126

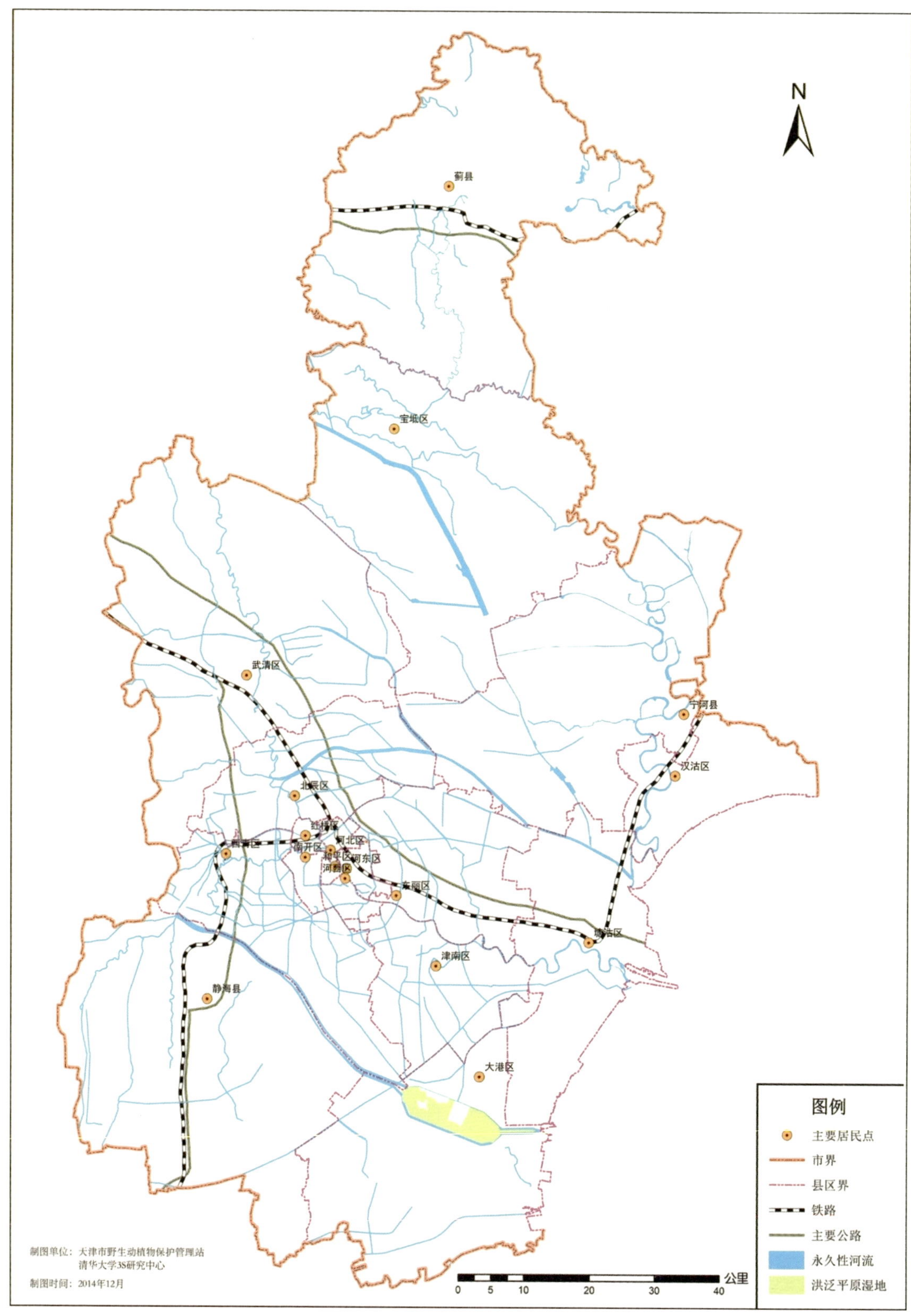

图 **2-7** 天津河流湿地分布图

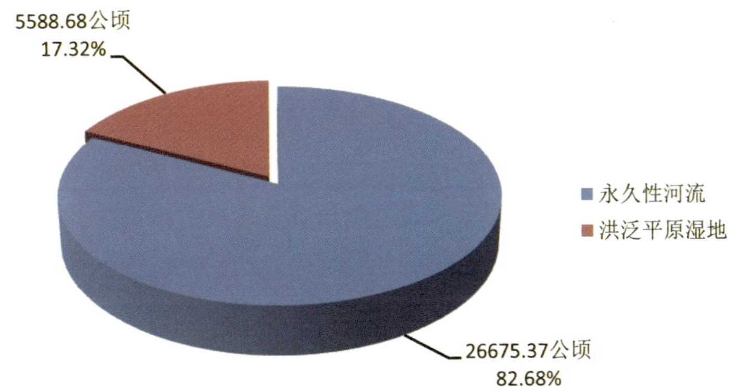

图 **2-8**　天津河流湿地型面积饼状图

在列入本次调查范围的19条一级河流中，面积居前三位的分别是独流减河、潮白新河和蓟运河。全部19条一级河流的概况见表2-13，其分布如图2-9。

表 2-13　天津一级河流面积统计表

序号	河流名称	面积(公顷)	序号	河流名称	面积(公顷)
1	独流减河	4409.58	11	子牙新河	221.75
2	潮白新河	4181.83	12	泃　河	215.58
3	蓟运河	3424.15	13	北运河	198.15
4	永定新河	2421.43	14	南运河	163.4
5	海　河	1738.42	15	马厂减河	158.17
6	龙凤河	1445.84	16	青龙湾河	155.85
7	州　河	483.75	17	引泃入潮	133.18
8	还乡新河	324.75	18	永定河	106.76
9	子牙河	297.02	19	大清河	52.56
10	新开河—金钟河	241.18	总　计		20373.35

3.2　各湿地区的河流湿地型及面积

在天津市划分的18个湿地区中，17个湿地区分布有河流湿地(表2-14)，其中北大港湿地区中的河流湿地不但面积大，达到0.57万公顷，占河流湿地总面积的17.62%，而且类型齐全，包括了永久性河流湿地和洪泛平原湿地。宝坻区和宁河县2个零星湿地区的河流湿地分列其后，面积比例均超过了10%。

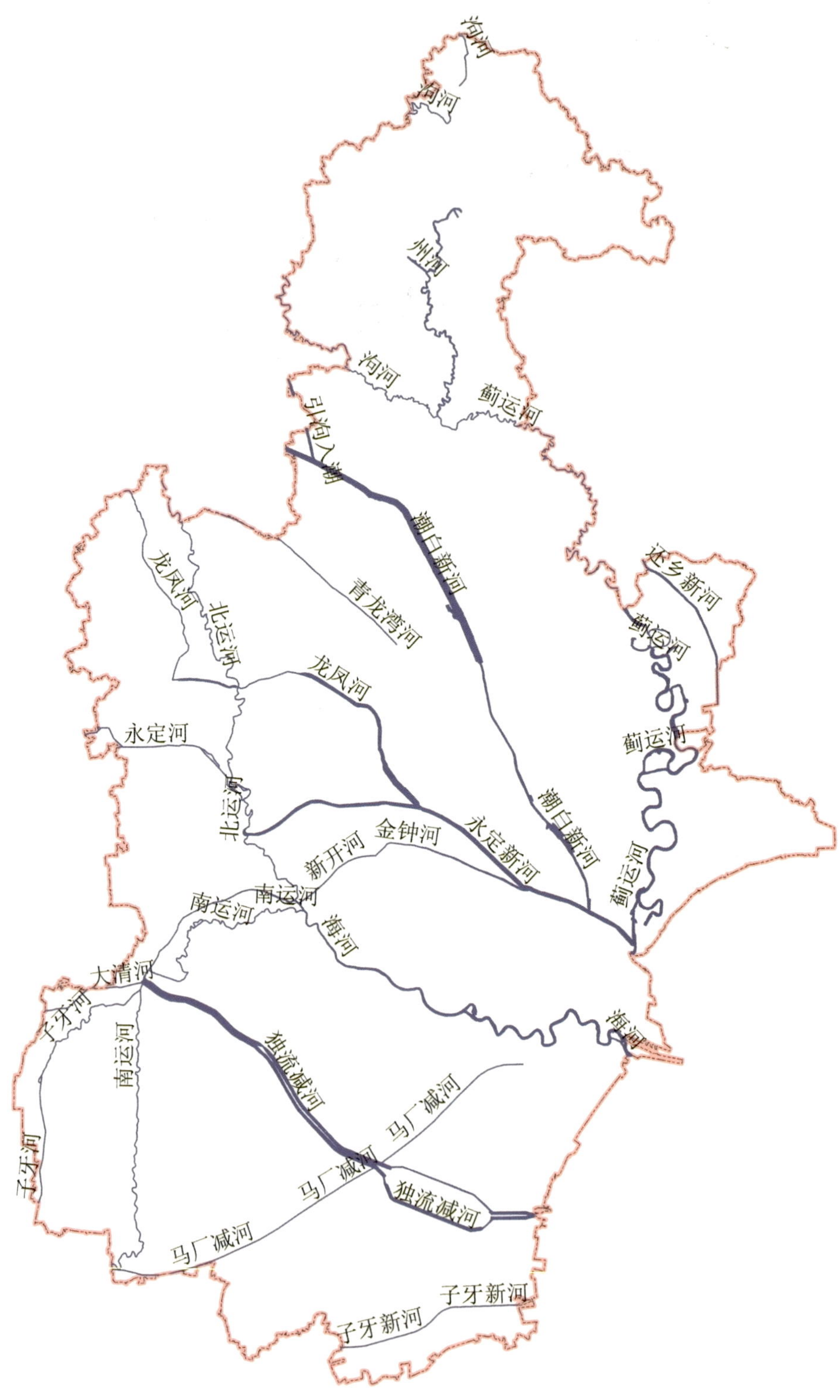

图 **2-9** 天津一级河流分布图

表 2-14　天津各湿地区河流湿地统计表

序　号	湿地区	永久性河流（公顷）	洪泛平原湿地（公顷）	合计（公顷）	比例（%）
1	中心城区零星湿地区	413.93		413.93	1.28
2	塘沽区零星湿地区	1933.6		1933.60	5.99
3	汉沽区零星湿地区	1039.25		1039.25	3.22
4	大港区零星湿地区	1371.02	311.70	1682.72	5.22
5	东丽区零星湿地区	920.83		920.83	2.85
6	西青区零星湿地区	1651.78	195.12	1846.90	5.73
7	津南区零星湿地区	807.98		807.98	2.5
8	北辰区零星湿地区	1708.99		1708.99	5.3
9	武清区零星湿地区	1287.93		1287.93	3.99
10	宝坻区零星湿地区	4800.15		4800.15	14.88
11	宁河县零星湿地区	4712.98		4712.98	14.61
12	静海县零星湿地区	1603.28	67.17	1670.45	5.18
13	蓟县零星湿地区	1487.85		1487.85	4.61
14	北大港湿地区	1189.35	4496.51	5685.86	17.62
15	团泊洼湿地区	1224.84	518.18	1743.02	5.4
16	大黄堡湿地区	249.58		249.58	0.78
17	七里海湿地区	272.03		272.03	0.84
总　计		26675.37	5588.68	32264.05	100

3.3　各行政区的河流湿地型及面积

在天津市所有的区县中均有河流湿地分布，其中大港区中的河流湿地面积最大，达到 0.74 万公顷，占河流湿地总面积的 22.84%。宁河县和宝坻区的河流湿地分列其后，面积比例均在 10% 以上(表 2-15)。

表 2-15　天津各行政区河流湿地统计表

序　号	行政区域	永久性河流（公顷）	洪泛平原湿地（公顷）	合计（公顷）	比例（%）
1	中心城区	413.93		413.93	1.28
2	塘沽区	1933.6		1933.60	5.99
3	汉沽区	1039.25		1039.25	3.22
4	大港区	2560.37	4808.21	7368.58	22.84
5	东丽区	920.83		920.83	2.85

（续）

序　号	行政区域	永久性河流（公顷）	洪泛平原湿地（公顷）	合计（公顷）	比例（%）
6	西青区	2273.96	407.89	2681.85	8.31
7	津南区	807.98		807.98	2.51
8	北辰区	1708.99		1708.99	5.30
9	武清区	1537.51		1537.51	4.77
10	宝坻区	4800.15		4800.15	14.88
11	宁河县	4985.01		4985.01	15.45
12	静海县	2205.94	372.58	2578.52	7.99
13	蓟　县	1487.85		1487.85	4.61
总　计		26675.37	5588.68	32264.05	100

4 湖泊湿地

调查过程中，根据国家林业局的技术细则并结合专家意见，将北大港水库、尔王庄水库、于桥水库等以蓄水为主要功能的湿地归类为人工湿地类的库塘湿地类型。因此，尽管天津市湿地面积较大、水面较多，但湖泊湿地资源面积较小，仅在静海县的团泊洼和宁河县的东七里海等地符合湖泊湿地基本特征(图 2-10)。本次调查统计，湖泊湿地面积为 0.36 万公顷，仅占天津市湿地总面积的 1.22%。

天津市的湖泊湿地类型简单，全部为永久性淡水湖。按照湿地区划分，湖泊湿地分布在七里海湿地区、团泊洼湿地区和静海县零星湿地区，见表 2-16。

表 2-16　天津各湿地区湖泊湿地统计表

序　号	湿地区	面积(公顷)	比例(%)
1	静海县零星湿地区	1028.35	28.44
2	团泊洼湿地区	1916.40	53.01
3	七里海湿地区	670.70	18.55
总　计		3615.45	100

按照行政区划分，湖泊湿地分布在静海县和宁河县，见表 2-17。

表 2-17　天津各行政区湖泊湿地统计表

序　号	行政区	面积(公顷)	比例(%)
1	静海县	2944.75	81.45
2	宁河县	670.70	18.55
总　计		3615.45	100

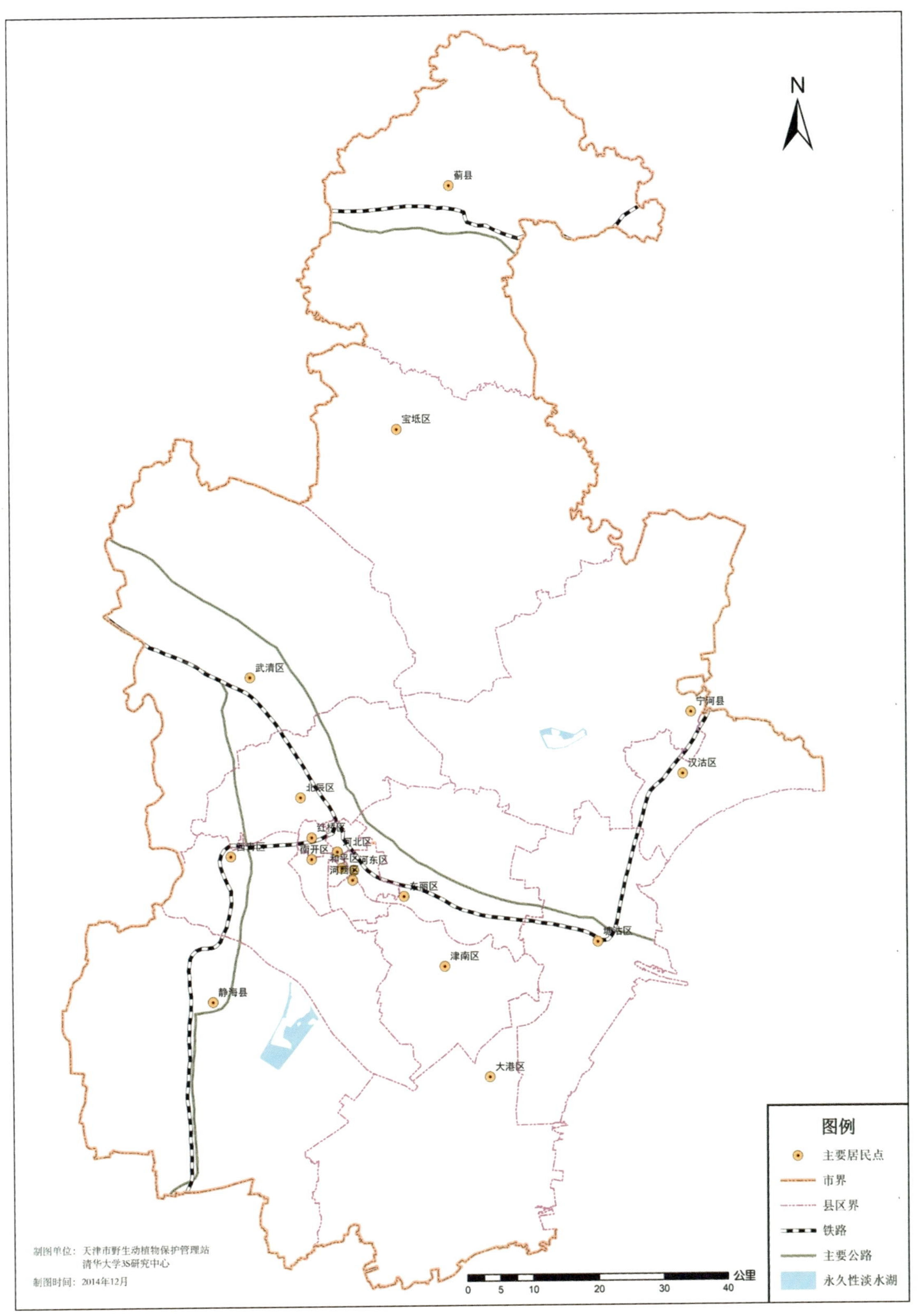

图 **2-10**　天津湖泊湿地分布图

按流域划分，湖泊湿地分布在海河北系的北四河下游平原和海河南系的大清河淀东平原。其中静海团泊洼位于大清河淀东平原，湿地面积为 0. 29 万公顷，占湖泊湿地总面积的 81. 45%；宁河七里海的湖泊湿地位于北四河下游平原，面积为 0. 07 万公顷，占 18. 55%(表 2-18)。

表 2-18 天津湖泊湿地的流域分布统计表

二级流域	三级流域	湿地面积(公顷)	比例(%)
海河北系	北四河下游平原	670. 70	18. 55
海河南系	大清河淀东平原	2944. 75	81. 45
总 计		3615. 45	100

5 沼泽湿地

沼泽湿地在天津市的分布较少，据统计，沼泽湿地面积为 1. 09 万公顷，占湿地总面积的 3. 71%。沼泽湿地的类型单一，全部为芦苇草本沼泽，主要分布在七里海湿地、大黄堡湿地、塘沽苇场等区域，其余地方零星分布有芦苇沼泽湿地(图 2-11)。

在天津市划分的 18 个湿地区中，11 个湿地区分布有沼泽湿地(表 2-19)。其中草本沼泽湿地面积最大的是七里海湿地区，达到 0. 36 万公顷，占沼泽湿地总面积的 32. 95%；其次是团泊洼湿地区，面积为 0. 21 万公顷，占 19. 37%；大黄堡湿地区和塘沽区零星湿地区位列其后。

表 2-19 天津各湿地区沼泽湿地统计表

序 号	湿地区	面积(公顷)	比例(%)
1	塘沽区零星湿地区	1397. 14	12. 78
2	大港区零星湿地区	126. 03	1. 15
3	东丽区零星湿地区	497. 31	4. 55
4	西青区零星湿地区	437. 52	4. 00
5	武清区零星湿地区	13. 45	0. 12
6	宝坻区零星湿地区	112. 69	1. 03
7	静海县零星湿地区	33. 17	0. 30
8	北大港湿地区	971. 77	8. 89
9	大黄堡湿地区	1625. 40	14. 86
10	七里海湿地区	3603. 07	32. 95
11	团泊洼湿地区	2118. 21	19. 37
总 计		10935. 76	100

在天津市 8 个区县中分布有沼泽湿地。其中宁河县的沼泽湿地面积最大，达到 0. 36 万公顷，占沼泽湿地总面积的 32. 95%，全部分布在七里海湿地中。静海县、武清区和塘沽区的沼泽湿地分列其后，面积比例均在 10% 以上(表 2-20)。

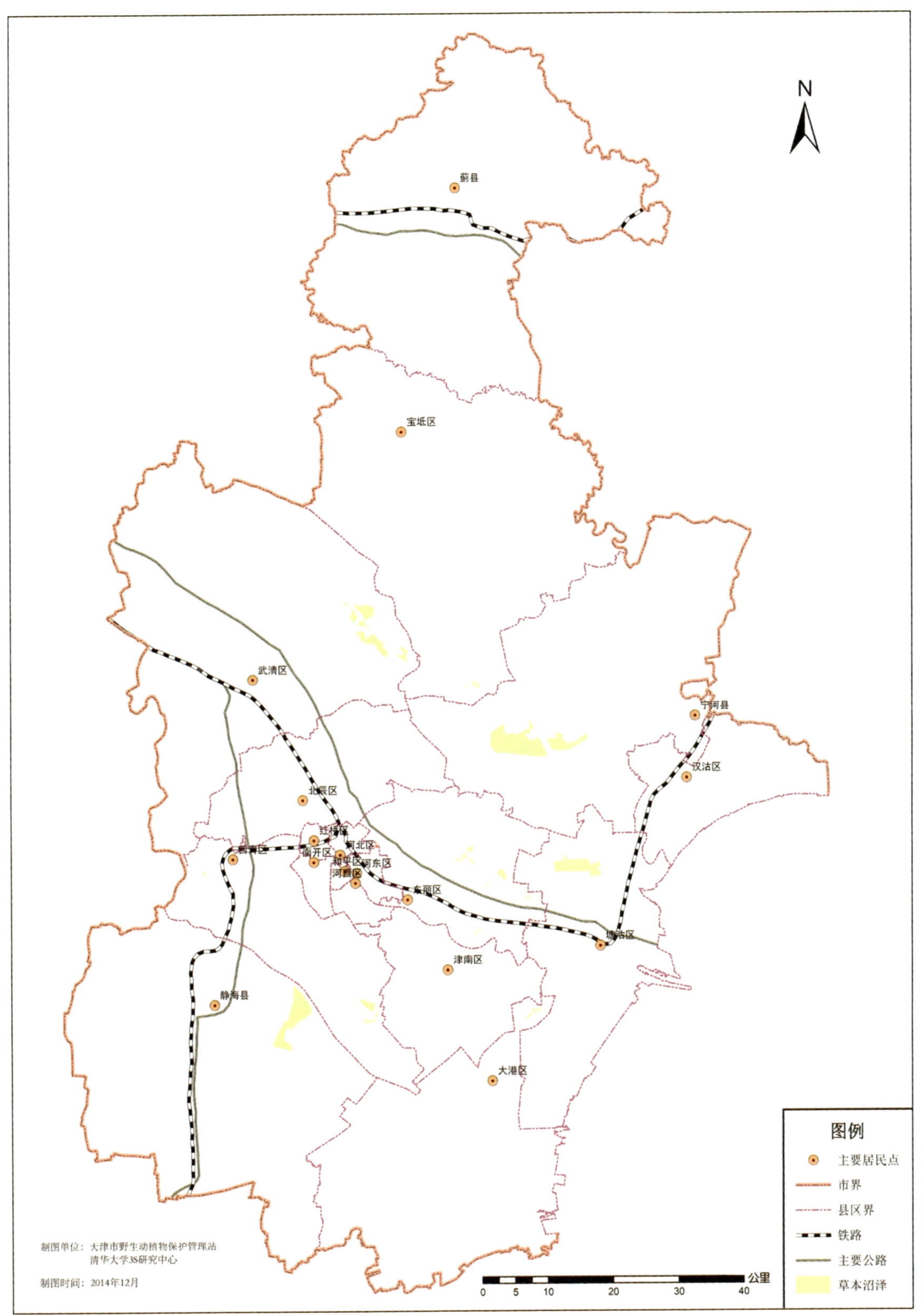

图 **2-11**　天津沼泽湿地分布图

表 2-20 天津各行政区沼泽湿地统计表

序 号	行政区域	面积(公顷)	比例(%)
1	塘沽区	1397.14	12.77
2	大港区	1097.8	10.04
3	东丽区	497.31	4.55
4	西青区	437.52	4.00
5	武清区	1638.85	14.99
6	宝坻区	112.69	1.03
7	宁河县	3603.07	32.95
8	静海县	2151.38	19.67
总 计		10935.76	100

按流域划分，天津市的沼泽湿地分布在北四河下游平原0.54万公顷，占沼泽湿地总面积的48.96%；分布在大清河淀东平原的沼泽湿地面积为0.56万公顷，占51.04%(表2-21)。

表 2-21 天津沼泽湿地的流域分布统计表

二级流域	三级流域	湿地面积(公顷)	比例(%)
海河北系	北四河下游平原	5354.61	48.96
海河南系	大清河淀东平原	5581.15	51.04
总 计		10935.76	100

6 人工湿地

6.1 人工湿地型及面积

天津市的人工湿地面积大、分布广，人工湿地面积为14.45万公顷，占湿地总面积的48.87%。其中，水产养殖场的面积为7.15万公顷，占人工湿地面积的49.54%，占天津市湿地总面积的24.21%；其次为盐田和库塘湿地，面积分别为3.42万公顷和3.27万公顷(表2-22，图2-12、图2-13)。

表 2-22 天津人工湿地统计表

湿地类型		面积(公顷)	比例(%)
501	库 塘	32690.90	22.63
502	运河/输水河	6028.83	4.17
503	水产养殖场	71549.25	49.54
505	盐 田	34166.23	23.66
总 计		144435.21	100

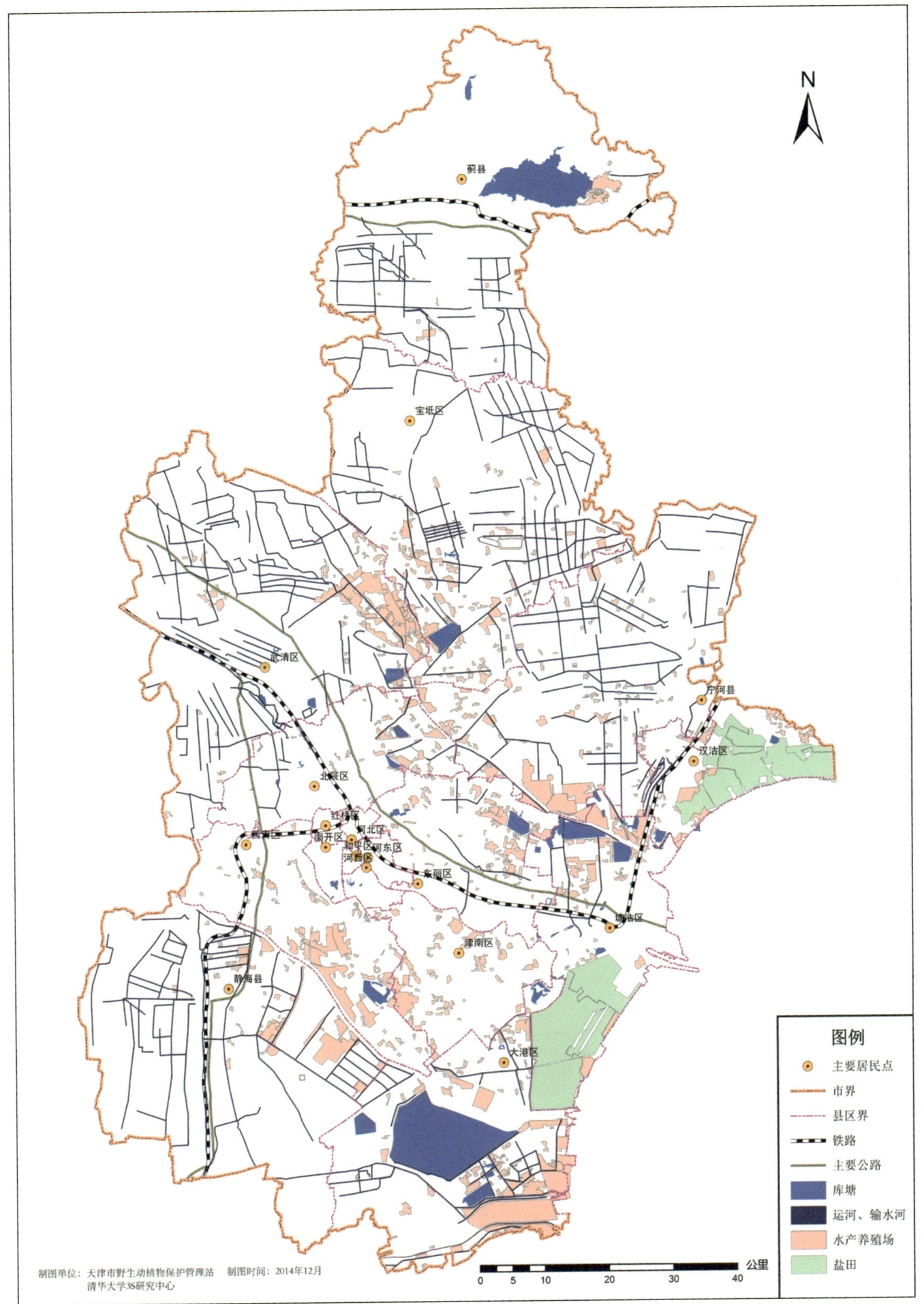

图 **2-12** 天津人工湿地分布图

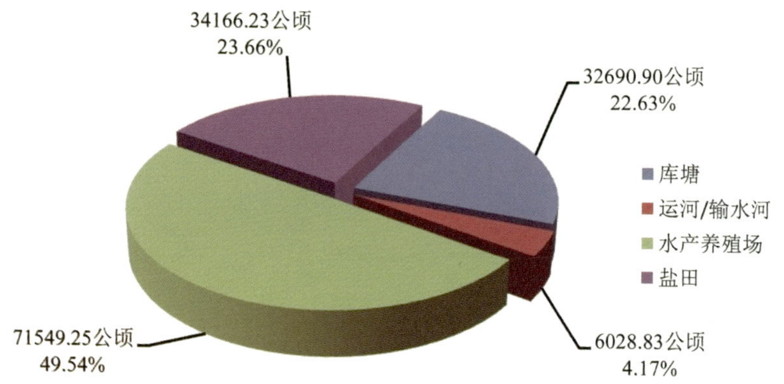

图 **2-13** 天津人工湿地型面积饼状图

6.2 各湿地区的人工湿地型及面积

在天津市划分的18个湿地区中，16个湿地区分布有人工湿地(表2-23)。其中人工湿地面积最大的是塘沽湿地区，达到2.81万公顷，占人工湿地总面积的19.48%；其次是北大港湿地区，面积为2.32万公顷，占16.07%；汉沽湿地区位列其后，面积为1.81万公顷，占12.51%。

表2-23 天津各湿地区人工湿地统计表

湿地区	库塘（公顷）	运河/输水河（公顷）	水产养殖场（公顷）	盐田（公顷）	合计（公顷）	比例（%）
中心城区零星湿地区	228.61				228.61	0.16
塘沽区零星湿地区	3140.00	125.71	5401.89	19469.38	28136.98	19.48
汉沽区零星湿地区	449.45	91.80	2829.72	14696.85	18067.82	12.51
大港区零星湿地区	593.25	480.33	8057.76		9131.34	6.32
东丽区零星湿地区	1013.33	26.27	3889.83		4929.43	3.41
西青区零星湿地区	797.38		7658.19		8455.57	5.85
津南区零星湿地区			4443.77		4443.77	3.08
北辰区零星湿地区	501.73	99.86	2338.95		2940.54	2.04
武清区零星湿地区	298.95	926.62	3034.80		4260.37	2.95
宝坻区零星湿地区	1172.58	1266.98	5681.79		8121.35	5.62
宁河县零星湿地区	68.84	807.40	8744.78		9621.02	6.66
静海县零星湿地区		855.35	5076.77		5932.12	4.11
蓟县零星湿地区	8334.12	448.47	2049.15		10831.74	7.50
北大港湿地区	15582.68	867.35	6763.59		23213.62	16.07
大黄堡湿地区	509.98	10.89	5001.50		5522.37	3.82
七里海湿地区		21.80	576.76		598.56	0.42
总　计	32690.90	6028.83	71549.25	34166.23	144435.21	100

6.3 各行政区的人工湿地型及面积

在天津市的13个区县中都分布有人工湿地(表2-24)。其中人工湿地面积最大的是大港区,面积为3.23万公顷,占22.39%;其次是塘沽湿地区,达到2.81万公顷,占人工湿地总面积的19.48%;汉沽湿地区位列其后,面积为1.81万公顷,占12.51%。主要是因为以上3个区均属于滨海地区,水产养殖、盐田等产业发达,面积大。

表2-24 天津各行政区人工湿地统计表

行政区域	库塘(公顷)	运河/输水河(公顷)	水产养殖场(公顷)	盐田(公顷)	合计(公顷)	比例(%)
中心城区	228.61				228.61	0.16
塘沽区	3140.00	125.71	5401.89	19469.38	28136.98	19.48
汉沽区	449.45	91.80	2829.72	14696.85	18067.82	12.51
大港区	16175.93	1347.68	14821.35		32344.96	22.39
东丽区	1013.33	26.27	3889.83		4929.43	3.41
西青区	797.38		7658.19		8455.57	5.85
津南区			4443.77		4443.77	3.08
北辰区	501.73	99.86	2338.95		2940.54	2.04
武清区	808.93	937.51	8036.30		9782.74	6.77
宝坻区	1172.58	1266.98	5681.79		8121.35	5.62
宁河县	68.84	829.20	9321.54		10219.58	7.08
静海县		855.35	5076.77		5932.12	4.11
蓟县	8334.12	448.47	2049.15		10831.74	7.50
总 计	32690.90	6028.83	71549.25	34166.23	144435.21	100

6.4 各流域的人工湿地型及面积

天津市的人工湿地在海河区的3个三级流域中均有分布(表2-25)。其中,大清河淀东平原的人工湿地面积最大,为8.48万公顷,占人工湿地总面积的58.71%;其次为北四河下游平原,人工湿地面积为4.88万公顷,占33.79%;面积最小的为北三河山区,面积为1.08万公顷,占7.50%。

表2-25 天津人工湿地流域分布统计表

二级流域		三级流域		
流域名称	湿地面积(公顷)	流域名称	湿地面积(公顷)	比例(%)
海河北系	59634.38	北三河山区	10831.74	7.50
		北四河下游平原	48802.74	33.79
海河南系	84800.83	大清河淀东平原	84800.83	58.71
总 计			144435.21	100

第三节
湿地的特点及分布规律

1 天津地域虽小，但湿地类较全

按照《全国湿地资源调查技术规程》的分类，全国湿地类型划分为 5 类 34 型，其中天津市分布的湿地为 5 类 11 型。虽然天津市的湿地型较少，仅为 11 型，但湿地类齐全，近海与海岸湿地、河流湿地、湖泊湿地、沼泽湿地和人工湿地均有分布。

2 人工湿地面积大，占天津湿地总面积的一半左右

天津市的人工湿地面积大、分布广，人工湿地面积为 14.44 万公顷，占湿地总面积的 48.87%。如果去掉 10.43 万公顷的近海与海岸湿地，人工湿地占剩余内陆湿地面积的比例高达 75.52%。在人工湿地中，面积最大的为水产养殖场，其次为盐田和库塘湿地。

3 沿海滩涂湿地生态地位重要

天津市沿海淤泥质海滩独特的生物链为迁徙水鸟提供了丰富的食物，是水鸟的重要迁徙通道。汉沽区域的 8 公里沿海滩涂，每年都有大量国家(国际) Ⅰ级保护物种遗鸥在此越冬。2015 年 3 月 17 日记录到越冬遗鸥 11612 只，达到该物种世界种群总数量的 95% 以上。

4 内陆湿地中集体所有的湿地面积较多

通过本次调查，天津市国有的湿地面积为 16.49 万公顷，占 55.80%；集体所有的湿地面积为 13.06 万公顷，占 44.20%。在国有湿地中，主要为近海与海岸湿地、大型水库、一二级河流、大港油田范围内的湿地。如果去掉近海与海岸湿地，在内陆湿地中，集体所有的湿地所占的比例为 68.30%。同时，集体所有的湿地斑块的数量较多，为 1089 块，占斑块总数的 82.19%。集体所有的湿地斑块每个斑块的平均面积为 119.95 公顷，而国有湿地斑块的平均面积为 698.85 公顷。

天津市的湿地分布规律为：南多北少、东多西少，湿地面积呈逐渐递减的趋势。主要原因如下：天津的北部地区(蓟县)为基岩山区，除于桥水库和河流湿地外，湿地斑块数量很少。而天津市南部地区为堆积平原区，历史上就是九河下梢区域，湿地较为发育。而天津市的东部地区为滨海湿地集中分布区域，包括了大面积的盐田、淤泥质海滩、河口水域和浅海水域等湿地类型，湿地面积大约为 13.82 万公顷，占天津市湿地面积总数的 47.01%。

第三章 湿地生物资源

第一节 湿地植物和植被

1 植物区系及分布区类型

1.1 植物区系的基本构成

1.1.1 植物科属统计

根据调查，天津地区的湿地植物区系在组成上以华北成分为主。天津地区的湿地植物区系组成比较丰富，生活型齐全，基本具有我国北部地区植物的各种常见种类，植物资源相对比较丰富，特点是优势种多，覆盖度大，常成片生长，较大面积的分布，并组成以其本身为优势种或次优势种的植物群落。该地区植物以禾本科、菊科、豆科等为代表的草本植物占主要地位，如芦苇、獐毛、羊草、白羊草、狗尾草、金色狗尾草、虎尾草、马唐、稗、白茅、星星草、碱茅、阿尔泰狗娃花、刺儿菜、蒲公英、苣荬菜、山莴苣、蒿属、蒙古鸦葱、碱菀、野大豆、糙叶黄耆、狭叶米口袋、达乌里胡枝子等。

本次调查共发现植物有 69 科 200 属 291 种(包括种以下单位)。其中裸子植物 4 科 6 属 8 种，被子植物 65 科 194 属 283 种。被子植物中，双子叶植物 55 科 157 属 225 种，单子叶植物 10 科 37 属 58 种(表 3-1)。野生植物种类最多的科依次为菊科、禾本科、旋花科、藜科、莎草科、豆科、十字花科、蓼科；栽培种类最多的科依次为菊科、蔷薇科、豆科、葫芦科、禾本科、茄科、锦葵科、百合科、木犀科、杨柳科、松科。

1.1.2 植物生活型构成

调查发现，保护区范围内植物主要以草本植物(206 种)为主，乔木(41 种)、灌木(19 种)、藤本植物(25 种)种类较少。其中草本植物包括一年生、二年生和多年生植物，囊括了旱生、中生、湿生和水生等各种类型，主要以野生植物为主。乔木和灌木中野生种类偏少，只有柽柳、酸枣、达乌里胡枝子、枸杞 4 种，紫穗槐疑为栽培逸为野生的灌木，其余的都是栽培植物。藤本植物包括缠绕藤本、攀援藤本和卷须藤本 3 小类，共计 25 种，如菟丝子、盒子草、葫芦等。

表 3-1 天津湿地植物科属种的分类统计

		科		属		种	
		科 数	比例(%)	属 数	比例(%)	种 数	比例(%)
裸子植物		4	5.80	6	3.00	8	2.75
被子植物	双子叶植物	55	79.71	157	78.50	225	77.32
	单子叶植物	10	14.49	37	18.50	58	19.93
合 计		69	100	200	100	291	100

2 植物区系地理成分构成

根据调查统计，天津地区的湿地植物种类中，65.5%以上的科都属于世界广布类型，如十字花科、酢浆草科、茜草科、旋花科、菊科等；其次是泛热带分布类型(占27.6%)，如蒺藜科、大戟科、夹竹桃科和萝摩科等；北温带和旧世界温带分布的都仅有1科，为牻牛儿苗科和柽柳科。

2.1 世界广布成分

根据调查统计，天津地区湿地植物大多数种类属于世界广布成分，如狭叶香蒲、拉氏香蒲、芦苇、稗等，都是本区沼泽和沼泽草甸的建群种；菹草、角果藻、金鱼藻等，都是本区水生生境中常见的世界广布种；其他如狗尾草、藜、反枝苋(原产美洲热带，现广泛传播，成为世界广布种)、田旋花、荠菜、野西瓜苗、苦苣菜等也都是本区中最常见的属于世界广布种的农田杂草。

2.2 泛北极成分

属于泛北极成分的有浮萍科的浮萍、眼子菜科的浮叶眼子菜；其他如禾本科的止血马唐等均为潮湿地、河滩沼泽化草甸的建群成分；蔷薇科的朝天委陵菜等，是矮草盐化草甸的优势种或伴生种；此外，菊科的鬼针草、黄花蒿，蓼科的长刺酸模等，也都是泛北极植物。

2.3 古北极成分

属于古北极成分的主要有旋覆花、榆、猪毛菜、罗布麻；水生沼生的古北极植物有龙胆科的莕菜；另外，十字花科的光果宽叶独行菜、蓼科的萹蓄等，也都是属于古北极成分的杂草类植物。

2.4 东古北极成分

属于东古北极成分的有平车前、阿尔泰狗娃花等，均为草甸伴生杂类草。

2.5 古地中海成分

属于古地中海成分的有禾本科的獐毛、藜科的地肤、蒺藜科的西伯利亚白刺(本种在西七里海、邓岑子、青坨子贝壳堤均有分布，常形成比较大面积的白刺堆，为滨海平原上的盐生灌丛)。

2.6　达乌里－蒙古成分

属于达乌里－蒙古成分的有禾本科的羊草，为中旱生到广旱生草原种；豆科黄耆属的直立黄耆、糙叶黄耆，以及白花丹科的二色补血草、百合科的兴安天门冬等也均为达乌里－蒙古成分。

2.7　东亚成分

属于东亚成分的乔木有苦木科的臭椿，是一种喜暖的树种；灌木有酸枣；中生草甸伴生植物有禾本科的荻、黄背草，菊科的茵陈蒿等。

2.8　西伯利亚成分

属于西伯利亚成分的有萝藦科的地梢瓜等。

3　植物区系特点

3.1　优势种多，覆盖度大

根据植被的野外调查可知，主要湿地生境的野生植物种类大都属于零散分布，但集中分布的优势种种类丰富、数量众多。优势植物在分布上常具有斑块状、条带状分布的特点，最典型的种类如盐地碱蓬、碱蓬、地肤、萹蓄、大刺儿菜、曼陀罗、苍耳、黄花蒿、猪毛蒿、茵陈蒿、翅果菊、长芒苋、狗尾草、虎尾草、羊草、扁秆藨草等。这些优势种类群集度高，覆盖度大，常常组成以自身为优势种或共优种的群落。

3.2　植物区系地理成分复杂多样

天津地区的湿地植物覆盖了中国 15 个植物区系地理成分中的 13 个，即除了中亚成分和中国特有成分缺乏外，其他地理成分均有分布。其中以世界广布的属居多(占 26.4%)。其次是泛热带成分和北温带成分，旧世界温带成分也占据了较大的比例(12%)，其中北温带成分的种类仍是保护区内的主体。其他 9 个地理成分的属共占约 18%。植物区系地理成分组成的复杂多样，体现了区域生境扰动的多样性。

3.3　生活型齐全，生态类群丰富，盐生植物种类多

湿地区内植物包括有乔木、灌木、草本和藤本植物，生态类群囊括了水生植物、沼泽和沼泽化草甸植物、盐生草甸植物等。区内盐生植物种类和数量均较丰富，盐生植物在保持水土、提供畜牧材料、盐碱地植被恢复方面均占据重要的地位。

3.4　栽培及外来物种增加迅速

由于农业、渔业、旅游业的发展以及城市绿化美化的需要，天津地区栽培及外来植物种类增加很快。根据调查的结果，增加的植物种类大部分为园林绿化种类，少数为新引进的园艺种类。

此外，本次调查中发现 3 种此前天津没有记录的野生植物分布，即长芒苋、瘤梗甘薯和旱黍

草。其中前两种均为原产美洲的植物，在中国归化或入侵时间不长，在天津及保护区内发现还属首次。外来物种的出现需引起相关重视。

3.5 近年来扰动增加，影响了植物生存环境

一些湿地被侵占、湿地改旱地、池塘开挖、道路修建、河流底泥抽取、除草剂滥用等诸多扰动，对野生植物种类和数量均造成较大的影响。部分植物分布遭到压缩从而数量减少甚至匿迹，部分植物则获得过度扩张的机会。扰动，尤其是人为扰动，使得部分湿地内的植物结构及其多样性产生较大的变动。

4 主要植被类型

天津市地处北温带季风气候区，濒临渤海湾，湿地类型丰富，综合考虑该区的植物种类组成、群落的外貌和结构、生态环境及动态特征，将湿地区的植被划分为以下植被型。

4.1 灌 丛

以灌木为优势种、伴生其他灌木或草本植物的群落。本区域内主要有酸枣、柽柳、达乌里胡枝子、枸杞、紫穗槐等灌木种类，其中酸枣、柽柳自然分布稍多；紫穗槐是人工栽培逸为野生的，亦能形成群落；而达乌里胡枝子、枸杞的自然分布较少，未形成明显的优势分布。湿地区内亦夹杂生长有刺槐、榆树植株，植株较为低矮，呈现灌木状。

(1)酸枣群落：优势种为酸枣，高度为150~250厘米，覆盖度75%左右，1平方米内植物主茎数可达15~20杆。主要伴生种有猪毛蒿、益母草、狗尾草、虎尾草、独行菜等。主要分布在地势较高的台地顶端或边缘。由于耕地拓展和农业活动，酸枣群落的数量正在受到压缩。

(2)柽柳群落：优势种为柽柳，高度为200~400厘米，覆盖度可达85%以上。柽柳花期较长，花色为粉红色，在盛花期呈现出非常靓丽的景观。主要伴生种有益母草、狗尾草、中华小苦荬等，偶可见有萝藦、鹅绒藤等藤本植物攀附其上。主要分布在湿地区内靠近水域之处，如河边、池塘沿岸等。由于耕地拓展和农业活动，柽柳群落的数量正在受到压缩。

(3)紫穗槐群落：优势种为紫穗槐，估计曾为栽培植物，后为野生。高度可达250厘米，覆盖度90%左右，1平方米内植物主茎数可达30杆。主要伴生种有蒲公英、独行菜、狗尾草、萹蓄等，常可见牵牛、鹅绒藤等藤本植物。主要分布在耕地、建筑物、公路周边。

4.2 灌草丛

灌木散生于草本植物之间，草本植物是优势种。

典型群落为酸枣-鬼针草灌草群落：酸枣不成为优势种，而仅是散生于草本层中间。草本层的优势种为鬼针草，高度80~120厘米，覆盖度约65%。主要伴生种有狗尾草、藜、猪毛菜、荠、独行菜等，常可见牵牛属植物。

4.3 草甸植被

以草本植物为优势种，伴生其他草本植物的群落。天津湿地区内一年生、二年生、多年生的

草本植物种类丰富，分布广泛，其中多种植物呈现斑块状分布、条带状分布特征，从而形成以本身为优势种的单优群落或共优群落。计有9个主要类型，广泛分布于各类湿地区的堤岸、沟边、路旁、耕地外围区域。

(1)碱蓬+地肤群落：碱蓬和地肤两种藜科植物常见斑块状、条带状分布，常见分别独立成为单优群落，也常见两种构成共优种群落。群落高度为120~200厘米，覆盖度可高达95%以上。1平方米内植物主茎数可达150杆，密度极大。主要伴生种有藜、独行菜、蒲公英等，也见有鹅绒藤、萝藦、野大豆等藤本植物攀附其上。主要分布在道路沿线、耕地周围，分布极广、数量极多、生物量极大。由于种子丰富，出芽率和成活率高，没有天敌，有扩大分布的趋势。

(2)大刺儿菜群落：优势种为大刺儿菜。高度为150~200厘米，覆盖度80%左右。1平方米内植物主茎数可达40杆。常形成单优群落，盛花期群落呈现鲜艳的紫红色。主要伴生种有铁苋菜、打碗花、砂引草、狗尾草、益母草、龙葵等。常呈斑块状、条带状分布，形成面积达10平方米以上的群落。大刺儿菜为多年生植物，常靠根状茎繁殖，有扩大分布的趋势。

(3)曼陀罗群落：优势种为曼陀罗。高度可达250厘米，覆盖度85%左右。单株冠幅常可达2平方米，分枝繁多，叶面积宽大，生物量极大。常形成单优群落，主要伴生种有苘麻、斑种草、苍耳、狗娃花、蒲公英、鳢肠等。较为常见，常分布于耕地旁、垃圾堆周围等较为肥沃的地段。由于其种子丰富，出芽率和成活率高，没有天敌，有扩大分布的趋势。

(4)苍耳群落：优势种为苍耳。高度可达180厘米，覆盖度可达85%以上。单株冠幅常可达1平方米，分枝繁多，生物量极大。常形成单优群落，主要伴生种有鳢肠、狗尾草、虎尾草、马唐、画眉草等。较为常见，常分布于耕地旁、村庄附近等较为肥沃的地段。苍耳种子丰富，繁殖较快，生物量也较大，可能有扩张的趋势。

(5)黄花蒿群落：优势种为黄花蒿。常形成单优群落，亦可与猪毛蒿形成共优种群落。高度可达160厘米，覆盖度达85%以上。主要伴生种有狗尾草、虎尾草、萹蓄、猪毛菜、长萼鸡眼草、画眉草、繁穗苋等。旱生、中生生境常见，分布范围较广。

(6)猪毛蒿+茵陈蒿群落：常形成共优种群落。由于花期两者的叶色不同，常形成浅灰绿色(猪毛蒿)和草绿色(茵陈蒿)相间的群落面貌，很容易辨认。群落高度可达140厘米，覆盖度可达85%以上。主要伴生种有无芒稗、狗尾草、金色狗尾草、小画眉草、紫马唐等，常见鹅绒藤、菟丝子等缠绕其上。常可见于堤岸、人工林缘等偏旱生、中生生境。

(7)翅果菊群落：优势种为翅果菊。高度可达180厘米，覆盖度60%~75%。主要伴生种有车前、地黄、独行菜、藜、地肤、刺儿菜、碱蒿等。翅果菊分枝繁多，生物量较大，盛花期群落常呈现金黄色的面貌。该群落主要分布在道路两旁灌草丛中和耕地周边，较为常见。

(8)狗尾草+虎尾草群落：狗尾草和虎尾草常见斑块状分布，常见分别独立成为单优种群落，也常见两种构成共优种群落。群落高度为40~80厘米，覆盖度65%~80%，1平方米内植物主茎数可达120杆，密度大。主要伴生种有金色狗尾草、稗、藜、地肤、独行菜、苣荬菜、萹蓄等，也见有田旋花、打碗花等藤本植物生于其中。主要分布在道路沿线、耕地周围，分布极广、数量极多、生物量较大。

(9)羊草群落：优势种为羊草。高度为25~45厘米，覆盖度可达90%以上。常见形成单优种群落。1平方米面积内秆数可达250以上，密度极大。群落内少见其他植物生长。生长期内，群落常呈现蓝灰色。常见于耕地和道路之间的过渡带，常呈条带状分布，绵延可达十数米至数十米。羊草生物量极大，在景观上和牧业上均有利用空间，值得加以重视。

(10)荻群落：优势种为荻。高度为80厘米左右(不计花序)，覆盖度可达95%以上，常见形成单优种群落。1平方米面积内秆数可达40以上，密度极大。群落内少见其他植物生长。由于农耕、修路等人为活动，分布大量减少。荻具有较高的观赏和利用价值，应加以保护。

4.4 藤本植物群落

以藤本植物为优势种，伴生其他草本植物的群落。天津湿地区内的藤本植物主要有葎草、鹅绒藤、野大豆、盒子草、牵牛属植物等，其中盒子草已少见形成群落，只见少量依附于芦苇生长。

(1)葎草群落：优势种为葎草。葎草攀援于芦苇等草本植物之上。群落的高度依赖于攀附物的高度，50～350厘米不等，覆盖度高达98%以上。伴生种较少，如藜、狗尾草、马唐等。此群落类型在湿地区内分布极广，常见于芦苇荡中、道路旁、人工林缘和耕地周围。葎草为一年生大型攀援草本，茎常可蔓延十米以上，叶繁茂，其形成的群落面积较大，常蔓延至十几米至几十米。葎草在群落中占有压倒性的优势，常覆盖其他植物，影响它们生长。葎草全株密布倒钩刺，常易伤害人畜。由于葎草生物量大，种子丰富，繁殖迅速，且几乎没有天敌，常入侵至庄稼地和村落，值得加以关注。

(2)鹅绒藤+芦苇群落：优势种为鹅绒藤和芦苇。鹅绒藤依附于芦苇之上生长。由于鹅绒藤生物量大，常压弯、扑倒所依附的植物，使群落高度低于所依附植物。覆盖度高达90%以上。伴生种主要有大刺儿菜、东亚市藜、蒲公英等少数几种，偶见其他植物种类。该群落类型分布广。鹅绒藤在群落中占有绝对优势，且因其为多年生植物，繁殖迅速，蔓延面积宽，已对芦苇造成较大胁迫，应引起注意。

(3)野大豆群落：野大豆为国家Ⅱ级保护植物，在天津地区的七里海湿地、北大港湿地等分布较为广泛。该群落类型的优势种为野大豆。野大豆为缠绕植物，其群落高度常依赖于所缠绕的植物。常形成单优群落，覆盖度可高达95%以上。伴生种主要有榆树、苘麻、苣荬菜、狗尾草、虎尾草、马唐等。野大豆因为得到保护，加之生长和繁殖迅速，天敌较少，有扩张蔓延之趋势，应理性看待和保护。

(4)牵牛属群落：优势种为牵牛属植物，包括牵牛、裂叶牵牛、圆叶牵牛3种，常缠绕于其他植物之上。覆盖度可高达95%以上。常形成单优种群落或2～3种共优群落。伴生种主要有藜、地肤、狗尾草、马唐属植物、蒲公英等。该群落类型在天津湿地分布极为广泛，常形成数十平方米的群落。生物量较大，种子丰富，繁殖迅速，有扩张蔓延的趋势。由于其为一年生植物，且观赏性较好，值得合理对待。

4.5 湿生、水生植物群落

以湿生、水生植物为优势种、伴生其他草本植物的群落，计有3个主要类型，即芦苇群落、狭叶香蒲+水葱群落、扁秆藨草群落。

(1)芦苇群落：优势种为芦苇。群落高度200～350厘米不等，覆盖度为75%～95%。主要伴生种有大刺儿菜、东亚市藜、藜、地肤、扁秆藨草、稗等，常可见与葎草、鹅绒藤形成群落（见前述）。值得一提的是，芦苇群落中偶可见小面积分布的盒子草，后者能见量已渐少。芦苇为七里海等湿地的旗舰物种，数量最多、分布面积最广，也是沼泽演替的终极物种。芦苇既是当地旗舰物种，在构成群落、净化水质、保持水土等方面发挥着极为重要的作用，又是当地重要的经济作物之一。

(2)狭叶香蒲＋水葱群落：常见为狭叶香蒲和水葱形成共优种群落。高度160～250厘米，覆盖度65%～80%。主要伴生种为扁秆藨草、芦苇等挺水植物，分布于开阔的水面芦苇较少之处。

(3)扁秆藨草群落：优势种为扁秆藨草。群落高度30～60厘米，覆盖度45%～60%。主要伴生种为地肤、萹蓄等，伴生种种类贫乏。扁秆藨草群落多分布于滨水地带，如池塘沿岸、河流浅滩等地。

5　植物资源及其特点

植物通过光合作用，吸收光能和二氧化碳制造出有机物和释放氧气。它们固定的能量是大部分生物的能量来源。植物资源也是人类赖以生存的重要物质基础之一。人类的生活、繁衍和进步同植物资源的开发利用和保护具有非常密切的关系，本次调查在植物种类的基础上，结合相关历史地理资料，重点对考察点的植物资源进行了考察研究。由于天津地处环渤海区域，湿地盐碱化是本区域湿地的重要特征，故将区内的植物资源分为两个大类，即盐生植物资源和其他植物资源，其他植物资源又可细划分为药用植物、饲料植物、环保植物等8个小类别。

5.1　盐生植物资源

天津地区盐生植物种类丰富，分布较广，数量较多。盐生植物在保持水土、提供畜牧材料、盐碱地植被恢复方面均占据重要的地位。重要的盐生植物包括：①聚盐性植物，如苣荬菜、大刺儿菜、盐地碱蓬、碱蓬、地肤、碱地蒲公英、乳苣等；②拒盐性植物，如野大豆、紫穗槐、砂引草、红蓼、匙荠、旋覆花、碱菀、虎尾草、白茅、马唐、芦苇、狭叶香蒲、水葱等；③泌盐性植物，如柽柳、猪毛菜、中亚滨藜、东亚市藜、藜、獐毛等。

多数盐生植物是一些富含营养的家畜饲草资源。保护区重要的盐生植物如野大豆为国家Ⅱ级保护植物，广泛分布在大黄堡、七里海等湿地。野大豆是重要的抗盐种质资源和基因库，是当前国内外研究遗传育种的重要种质资源。野大豆是栽培大豆的近缘野生种，是栽培大豆育种的重要种质资源，在农业育种上可用野大豆进一步培育优良的大豆品种，并提高大豆的抗盐能力。

其他重要的盐生植物如盐地碱蓬、碱蓬等也都是重要的抗盐种质资源，它们能生长在高盐浓度的土壤生境中，在生理上具有抗盐特性，其抗盐性接近于海水浓度，如果采用海水灌溉，经过选育和改良，其抗盐能力还可以提高，是一种很有发展前途的可以直接用海水灌溉的经济盐生植物，很有开发前景，值得进一步去研究。

另外，盐生植物能够吸收和积累大量的盐分，是很好的盐碱土生物改良剂，常被用做盐碱地植被恢复，如苣荬菜、大刺儿菜、乳苣、紫穗槐等。还有的盐生植物具有良好的景观效果，可以开发用于园林绿化。

5.2 其他植物资源

5.2.1 纤维植物

重要的纤维植物有芦苇、苘麻、马蔺、罗布麻等，这些植物除罗布麻外，其他的种类数量均较为丰富，分布也较广泛。其中芦苇是重要的水生纤维类资源植物，它不仅具有重要的经济效益，同时对维持平原地区的生态平衡、净化水域以及保护生物物种的多样性，也具有非常重要的作用。目前多用于造纸原料及建筑用材。芦苇的根状茎、秆、叶及花序均可供药用，其中根状茎名芦根，是历史悠久的传统中药，能清热生津、止呕、利尿；根状茎富含淀粉和蛋白质，可熬糖和酿酒；又因根状茎粗壮、蔓延力强，是优良的固堤、固沙植物；嫩茎叶在抽穗前含糖分较高，各种家禽喜食；芦苇嫩笋可食，并具有防癌、治癌等功效。

5.2.2 药用植物

天津地区的湿地中具有丰富的药用植物资源，以不同的形式被用于各种场合。计有 130 余种，约占调查草本植物种类的一半。常见的中药、草药植物有益母草、地黄、枸杞、车前、罗布麻、牵牛属、薄荷、曼陀罗、金银花、刺儿菜、茵陈蒿、苣荬菜、白茅、芦苇、水烛等。其中益母草是著名的妇科理疗和保健药品的原材料；地黄具有清热解毒等功效；水烛的成熟果序则可用于治疗外伤出血等。

5.2.3 食用和饲料植物

(1)野菜植物：湿地周边居民最常采食的野菜植物有马齿苋、地肤、碱蓬、荠菜、蒲公英、苣荬菜、乳苣等。其中不少种类是传统的野菜植物，如荠菜等。

(2)野果植物：主要有酸枣、龙葵、马泡瓜等，酸枣和龙葵可以直接食用，也可以制作果酱和饮料；马泡瓜具有一定的食用价值。

(3)畜牧饲料：常见的饲料植物有碱蓬、野大豆、羊草、白羊草、狗尾草、虎尾草、马唐等，其中碱蓬和羊草的分布较为广泛，资源较为丰富。

5.2.4 香料植物

可用作香料植物的主要为蒿属植物，包括碱蒿、莳萝蒿、黄花蒿、艾蒿、茵陈蒿、野艾蒿等，分布较为广泛；薄荷也是常见的香料植物，但野外分布较少。

5.2.5 蜜源植物

蜜源植物种类较少，主要有酸枣、草木犀、匙荠、蒲公英等。

5.2.6 环保植物

(1)保持水土植物：主要种类有獐毛、狗牙根、羊草、白茅等禾本科植物。

(2)净化水质植物：有红蓼、碱菀、芦苇、水葱、狭叶香蒲、拉氏香蒲等。

(3)污染指示植物：有碱蓬、红蓼等，可以监测环境中汞、有机物的含量。

5.2.7 野生花卉

可用作野生花卉的植物种类极为丰富，如：①木本植物，有柽柳、紫穗槐等；②草本植物，有罗布麻、砂引草、打碗花、田旋花、碱菀、阿尔泰狗娃花、旋覆花、蒲公英等；③藤本植物，有圆叶牵牛、裂叶牵牛、萝藦等。

5.2.8　木材植物

木材植物种类较少，主要有臭椿、刺槐、榆等，木材材质并不佳。最近几年大量栽种的速生杨品种，其生长迅速，材质松软，可以用作轻质木材。

6　植物濒危状况

湿地具有多种重要的生态功能，而要发挥湿地的生态功能，首先要维持湿地生境和生态系统结构的完整性。其中的植物系统又是整个生态系统的基础，故而需对植物进行科学有效的保护。本次植物科考在摸清植物区系特点和植物资源状况的基础上，对天津地区湿地植物所受的胁迫类型、野生植物受胁迫状况进行了分析。

6.1　胁迫来源

湿地区内植物所受到的胁迫主要来自于以下方面：

6.1.1　农业、牧业、渔业生产和旅游业占用湿地

(1)传统的农业、牧业生产，农田开垦、牧场建设和放牧等活动，直接占用湿地面积，导致湿地变旱地；农业、牧业发展带来的村落扩张，同样也占用了一定的湿地，使得湿地植被受到破坏。

(2)一些芦苇湿地被以各种方式承包进行鱼、虾和蟹的养殖。鱼、虾、蟹养殖需要大片水面，因而带来芦苇湿地的开垦和破坏。

(3)一些重要湿地保护和修复工程缺乏专业指导和技术规范，对区内的原生湿地植被或野生植物群落带来一定程度的影响。

6.1.2　环境污染

(1)农业面源，牧业、渔业点源污染。农田、耕地排放带有农药、化肥残留的废水，牧场、养鱼池排放携带病菌、药物和激素的冲洗水、牲畜粪便，给湿地水体带来过度的负荷。

(2)附近村落人的生活污水无组织、不经处理的排放，同样给湿地水环境造成污染压力，村民生活产生的固体废弃物无组织、不经处理的排放，成为湿地环境恶化的重要源头。

(3)旅游业的发展，带来了系统外的物质和能量负载，外来游客的活动代谢物转嫁到了保护区生态系统内，同样也极易带来环境污染。

6.1.3　工程建设导致生境受损

一些湿地区，由于河道修建、沟渠管理、渔业养殖水体的建设，导致湿地生境人工化、破碎化程度加剧，直接侵占野生植物的生存空间或阻隔植物的繁殖通道，也对植物造成了负面影响。

6.1.4　外来绿化品种对乡土种的影响尚待评估

由于旅游业等绿化和景观的需求，一些湿地区内采取了大规模、可能是过度的绿化管理方式。

在利用湿地开展旅游、休闲、娱乐中进行野生植被刈除和外来植物引进栽植。非本地种取代乡土种，对湿地原生植物系统的冲击，其负面影响尚待评估。

6.2 野生植物受胁迫状况

6.2.1 部分野生植物减少甚或消失

(1)分布面积缩减。分布面积严重缩减、数量剧烈减少的植物有地笋、地黄、盒子草等。在之前的调查中发现上述植物为常见或较常见，其分布和数量均较为可观。但近年来发现其分布地缩减明显，仅在极为有限的地段可见其分布，分布地周围已经或者正在进行农、牧、渔业建设或扩张。

(2)未记录到的植物甚或消失。小果白刺、补血草属植物、黄耆属植物、鸦葱属植物、角蒿等，在本次植物科考中没有发现，暗示其分布已极度压缩甚或消失。

6.2.2 部分"超级"植物获得绝对优势

在自然状态下，由于植物本身的特性及其他自然胁迫，物种本来就具有自然的演替过程。而近几十年来人为胁迫的增强，可能加快了演替的进程。比如土壤干扰活动(开垦耕地、修建道路和建筑物等)、外来物种引进栽植、施用除草剂等活动，可能抑制部分植物的发展，同时为部分植物的入侵和取得竞争优势创造条件，从而产生繁殖快、分布广、数量大、生物量极高的"超级"植物。

本次植物科考发现湿地区内出现20余种"超级"植物，包括桑科的葎草，蓼科的萹蓄，藜科的碱蓬、地肤，苋科的长芒苋，萝藦科的鹅绒藤，茄科的曼陀罗，旋花科的牵牛属植物，葫芦科的马泡瓜，菊科的大刺儿菜、苍耳、黄花蒿、猪毛蒿、茵陈蒿、翅果菊，禾本科的狗尾草、虎尾草、羊草、马唐属植物以及莎草科的扁秆藨草等。

取得压倒性竞争优势的"超级"植物在分布上常具有斑块状、条带状分布的特点，广泛分布于湿地区内各地。"超级"植物群集度高，覆盖度大，常常组成以自身为优势种或共优种的群落；由于在分布上处于扩张态势，对其他野生植物造成荫蔽和排挤，挤占了其他物种的生态位。"超级"植物的扩张和蔓延，可能导致野生植物种类、数量减少，植物系统稳定性降低等后果，须加以注意。

第二节 湿地动物资源

1 湿地野生动物种类和特点

天津市地域虽然狭小，但生态系统类型齐全，湿地的生物资源十分丰富，位于天津东南部地区的4道贝壳堤和宁河县境内的牡蛎滩，规模之大世界少见，不仅是古海岸变迁的证据，表明距今7000~600年前的这里还是水乡泽国，而且说明历史上天津湿地的生物多样性是十分丰富的。在各类生物资源中，以动物的种类最多，生物量和生产力水平也最高。

天津湿地动物资源比较丰富，根据本次调查和现有资料统计，分布在天津市湿地中的两栖、爬行、哺乳、水鸟和鱼类共计39目84科318种(表3-2)，主要类群及优势种如下：

(1)两栖类：已发现的两栖动物有1目4科7种，主要以无尾目中的中华蟾蜍、黑斑蛙等常见种为主。

(2)爬行类：爬行动物共有2目2科11种，以游蛇科的赤链蛇、白条锦蛇、玉斑锦蛇等为主。

表3-2 天津湿地野生动物种类统计表

类别	目数	科数	种数
两栖类	1	4	7
爬行类	2	2	11
哺乳类	5	7	14
水鸟	11	24	160
鱼类	20	47	126
总计	39	84	318

(3)哺乳动物：已发现湿地哺乳动物14种。主要种类有刺猬、猪獾、黑线姬鼠、褐家鼠等。

(4)鸟类：已发现湿地鸟类160种，隶属11目24科。重要种类和常见种有遗鸥、东方白鹳、黑鹳、丹顶鹤、白枕鹤、灰鹤、大天鹅、小天鹅、疣鼻天鹅、白琵鹭、斑嘴鹈鹕、鸳鸯、豆雁、鸿雁、灰雁、白额雁、赤麻鸭、绿头鸭、苍鹭、池鹭、白鹭、草鹭、普通鸬鹚、白骨顶、红嘴鸥、东方大苇莺等。

(5)鱼类：天津湿地已发现的鱼类共126种，隶属于20目47科。其中沿海浅水鱼类50种，约占黄、渤海鱼类的四分之一，主要种类有黄鲫、斑鰶、黄姑鱼、白姑鱼、青鳞鱼、梭鱼、鲈鱼、银鲳等；淡水鱼类59种，主要种类有鲤鱼、鲫鱼、银鱼等；咸淡水鱼类17种。

2 湿地鸟类

2.1 湿地鸟类区系

天津湿地水鸟记录的种类为160种，分属于11目24科。由图3-1可见，天津湿地水鸟中鸻形目的科数和种数均为最多，分别占科总数的33.33%和种总数的32.50%；鹳形目的科数居其次，3科，占科总数的12.50%；其余各目所含科数均小于或等于2。所含种数居于其次的是雁形目，36种，占种总数的22.50%；再次是鸥形目，19种，占种总数的11.88%；居于第四的是鹳形目，18种，占种总数的11.25%。雀形目和鹃形目的种类最少，分别只含有2种和1种。

天津动物区系成分属于古北界华北区黄淮平原亚区。从记录的160种水鸟中，属于古北界的鸟类有81种，占50.62%；东洋界的种类有16种，占10.00%；广布种有63种，占39.38%。可见本地区水鸟以古北界和广布种为主，无本地区特有种。至今有不少种类已成为稀有种，应加保护。本区地势平坦，无自然屏障，在夏季，有些南方种类可渗入本区。如红胸田鸡、栗苇鳽、董鸡、彩鹬等，它们沿东部季风区可扩展到天津地区，并可延伸到东北区。

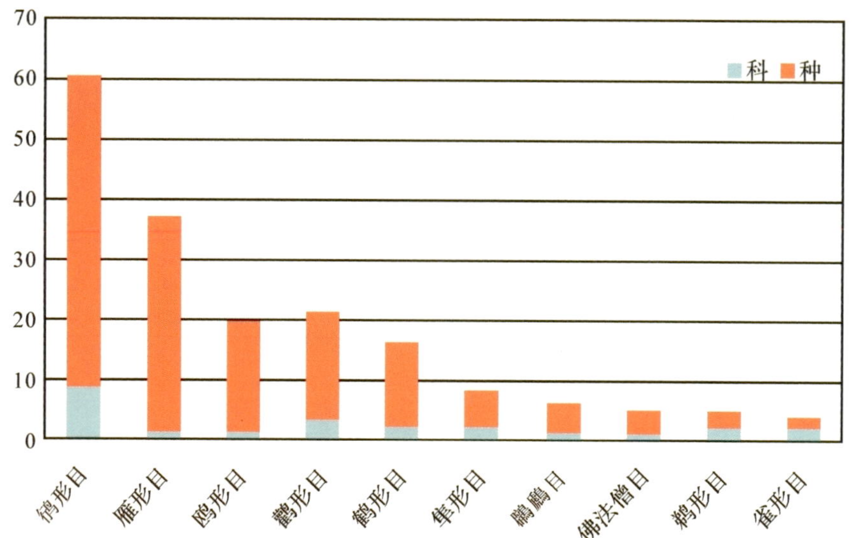

图 **3-1** 天津湿地水鸟的目、科、种分布

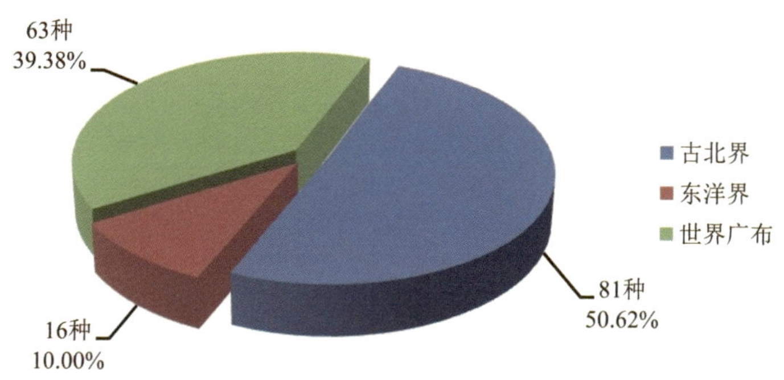

图 **3-2** 天津湿地水鸟的区系分布

2.2 湿地鸟类居留型

天津湿地水鸟种类和数量季节性变化大。留鸟有 3 种，仅占 1.9%；旅鸟有 128 种，占 80%。夏候鸟有 24 种，占有 15%；冬候鸟有 5 种，占有 3.1%。故春秋季节在各类湿地生境内均呈现出鸟类种类和数量的高峰期。如在海滨滩涂区、河道漫滩区、池塘沼泽及湖泊水库区等，特别是中大型湖泊，如于桥水库、北大港水库、团泊洼、鸭淀、东丽湖、黄港水库等，水鸟数量少者近万只，多者几万只，几乎布满整个水面。

2.3 湿地鸟类的迁徙状况

天津地区，属于我国东部候鸟种群迁徙区。

春季候鸟从南方迁来。春季迁徙早在 2 月上旬或中旬即已开始，此时主要以大型的水鸟如鹤类、鹳类、雁类和天鹅类为主，如白鹤、灰鹤、白枕鹤、东方白鹳、大天鹅、小天鹅、疣鼻天鹅、鸿雁、灰雁、豆雁、白额雁等。一般多见于同种水鸟于夜间和清晨从空中向北飞行，大型水

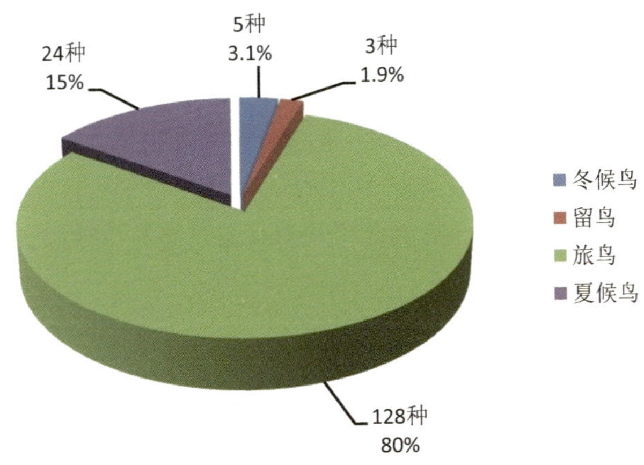

图 **3-3** 天津湿地水鸟的居留型分布

鸟多在中午飞行。进入 3 月份，随着鹤类、鹳类的北迁，雁类和天鹅类数量继续增加，至 3 月中上旬达到高峰，同时中小型鸭科鸟类、䴙䴘类、骨顶鸡、大型鸻鹬类数量开始增多，如凤头潜鸭、绿头鸭、斑嘴鸭、针尾鸭、青头潜鸭、绿翅鸭、花脸鸭、罗纹鸭、赤麻鸭、秋沙鸭类、骨顶鸡、小䴙䴘、凤头䴙䴘、普通鸬鹚等。进入 4 月初，大型雁鸭和天鹅已陆续北迁，中小型野鸭、骨顶鸡数量剧增至高峰，至 4 月中下旬，中小型鸻鹬类和鸥类陆续迁来，如黑尾塍鹬、鹤鹬、红脚鹬、青脚鹬、灰斑鸻、金眶鸻、环颈鸻等鸻类，与此同时鸥类也持续增多，如红嘴鸥、黑尾鸥、普通燕鸥、须浮鸥等。进入 5 月份，大中型水鸟陆续北迁，中小型鸻鹬类持续迁来，如小型滨鹬类等；部分夏候鸟陆续进入繁殖期，如普通燕鸻、金眶鸻、环颈鸻、黑翅长脚鹬、反嘴鹬等。进入 6、7 月份，繁殖鸟和越夏鸟取得优势，无论种类还是数量上均占据主要地位，如普通燕鸻、普通燕鸥、须浮鸥等。繁殖季节一直持续到 8 月中下旬，此时部分南迁的鸻鹬类已经开始在北大港被目击到。春季迁徙中，候鸟种类和数量一半在 4 月份达到高峰。

秋季候鸟从北方向南方迁移。8 月底至 9 月初一些雁鸭类、䴙䴘类、骨顶鸡飞来，如红头潜鸭、骨顶鸡、绿头鸭、斑嘴鸭、绿翅鸭、小䴙䴘、凤头䴙䴘、骨顶鸡等；同时在本地繁殖的鸟类则逐渐南迁，如普通燕鸥、须浮鸥、白翅浮鸥、普通燕鸻、环颈鸻等。至 10 月中下旬，红头潜鸭和骨顶鸡的数量达到高峰，此时湿地内水鸟种数常在 50 ~ 70 种之间；赤膀鸭、赤颈鸭、罗纹鸭、赤麻鸭、翘鼻麻鸭、鸿雁、灰雁、豆雁、白额雁、大天鹅、小天鹅、疣鼻天鹅等鸭科动物和骨顶鸡占据主流，而鹭类如大白鹭、中白鹭、白鹭、苍鹭、草鹭数量亦逐渐增加，部分鸻鹬类亦逐渐可见到，如黑尾塍鹬、红脚鹬、鹤鹬、青脚鹬等，小型滨鹬类和鸻类亦南迁到此；10 月份鸥类的数量亦达到高峰，主要是红嘴鸥、银鸥类、黑尾鸥、红嘴巨鸥、海鸥等。10 月底至 11 月中上旬，大型涉禽如鹤类、鹳类陆续到来，鹤类如灰鹤、白枕鹤、白头鹤等在天津停留时间较短，但灰鹤可能在天津有冬候；而东方白鹳则会停留较长时间(常可达月余)，近年来发现有少量的东方白鹳在此越冬。而最有特色的遗鸥越冬种群则在 11 月中下旬陆续到来，至 12 月中下旬达到高峰。此后，随着水面逐渐结冰，大部分的水鸟都会迁离天津湿地。在天津沿海滩涂越冬的主要为鸥类，如遗鸥的大群体、少量的黑尾鸥、海鸥、黑嘴鸥，以及鸻鹬类如灰斑鸻、蛎鹬、杓鹬类，还有雁鸭类如翘鼻麻鸭、罗纹鸭、红胸秋沙鸭等。秋季迁徙中，11 月中上旬天鹅和雁鸭类的数量达到高峰，11 月中下旬东方白鹳的数量则达到高峰。

一般秋季候鸟南迁的比较缓慢，而春季北迁比较迅速。在迁徙时间上，每年的迁徙日期及在驿站停留的时间长短不尽相同。迁徙的方向一般是定向的，但在春秋两季迁徙路线上亦不完全一样。在秋季，候鸟或旅鸟一般从 8 月底至 11 月初，历经 3 个半月；而春季从 2 月中下旬至 4 月底，为期 2 个半月。秋季种群数量大，并且成集群现象，而春季种群数量相对较少，比较分散，栖息水域广。

2.4 常见及珍稀种类

栖息于天津湿地的鸟类中属于国家Ⅰ级保护的野生鸟类有 8 种，分别是黑鹳、东方白鹳、中华秋沙鸭、白尾海雕、白鹤、白头鹤、丹顶鹤和遗鸥；属于国家Ⅱ级保护的野生鸟类有 23 种，分别是赤颈䴙䴘、角䴙䴘、斑嘴鹈鹕、卷羽鹈鹕、黄嘴白鹭、白琵鹭、黑脸琵鹭、疣鼻天鹅、大天鹅、小天鹅、白额雁、鸳鸯、鹗、玉带海雕、白腹鹞、白尾鹞、鹊鹞、蓑羽鹤、白枕鹤、灰鹤、小杓鹬、小鸥和黑浮鸥。国家重点保护鸟类占种总数的比例高达 19.38%。此外，湿地水鸟中有 10 多种位列 CITES 名录附录Ⅰ和附录Ⅱ；属于 IUCN 保护名录 CR(极危)和 EN(濒危)的鸟类分别为 3 种和 4 种，所占比例也相对较大(表 3-3)。

经过 10 年的野外调查发现，遗鸥和黑嘴鸥在天津有大量个体越冬。其中遗鸥的数量最高达 11612 只，说明天津沿海已经成为我国国家Ⅰ级保护鸟类遗鸥的主要越冬地；东方白鹳是世界濒危物种，全球总数量在 3000 多只。多次在北大港自然保护区发现大群的东方白鹳，其中一次发现 800 只(2009 年春季)，另一次发现 806 只(2014 年 11 月 9 日)，均超过世界种群总数的 1/4。迁徙季节在天津湿地还可以发现 5 种鹤类、大量天鹅等珍稀物种。小䴙䴘、凤头䴙䴘和鸬鹚为常见种；鹭科有 10 种；在夏季鸭科鸟类斑嘴鸭为夏候鸟，数量很少；鸻鹬类种类较多；鸥类有 12 种，小鸥、黑浮鸥和红嘴巨鸥为珍稀种类。多方面的调查数据证明，天津的海岸滩涂和内陆湿地有 17 种涉禽达到“国际重要意义”的数量标准(即种群数量超过世界该种群总数量的 1%)。

表 3-3 天津湿地水鸟的保护级别

类　别	级　别	种　数	比例(%)
国家重点保护野生动物	Ⅰ	8	5.00
	Ⅱ	23	14.38
CITES 保护级别	附录Ⅰ	8	5.00
	附录Ⅱ	10	6.25
IUCN 保护级别	CR	3	1.88
	EN	4	2.50
	LC	133	83.13
	NT	8	5.00
	VU	12	7.50

2.5　栖息地及其保护状况

在对天津地区湿地诸多类型出现的水鸟种类进行比较中，发现农作区的稻田和水浇地水鸟种类分布率为5.07%；池塘沼泽地分布率为33.73%；河道漫滩水库区分布率为28.21%；滨海滩涂湖泊区分布率为22.99%。一般环境的多样性会引起物种的多样性，在天津地区池塘分布广、数量多，一般栖息的水鸟种类多，但池塘面积小，受人为干扰大，栖息的数量少。河道漫滩水库和滨海滩涂湖泊区，分布广、面积大，为春秋季节大量候鸟或旅鸟提供了良好的栖息场地，成为我国东部候鸟迁徙的重要驿站之一。

在上述湿地中，有4片湿地被划为湿地保护区，分别是：

(1)天津古海岸与湿地国家级自然保护区：古海岸与湿地国家级自然保护区成立于1992年，位于天津市滨海地区，总面积35913公顷。是中国唯一的以贝壳堤、牡蛎滩珍稀古海岸遗迹和湿地自然环境及其生态系统为主要保护和管理对象的国家级海洋类型自然保护区。区内的七里海湿地还栖息和生长着多种珍稀野生动植物，尤其是鸟类的重要栖息和繁殖地。

(2)天津北大港湿地自然保护区：北大港湿地保护区为市级自然保护区，成立于1999年，总面积34887公顷。保护区位于渤海湾的西岸，地形由海岸和退海岸成陆低平淤泥组成，河流纵横交错，坑塘洼淀多，地下潜水丰富，气候属暖温带湿润大陆型季风气候，北大港湿地具有库泊、滩涂、沼泽、河流、浅海5个类型，有着丰富的生态系统和生物资源。其位置正处于亚洲东部鸟类迁徙的线路上，是东亚至澳大利亚候鸟迁徙的必经之地。每年的春秋两季，很多鸟类都会途经北大港湿地停歇、栖息、觅食，补充迁飞能量。

(3)天津市团泊鸟类自然保护区：总面积约6040公顷，属于市级自然保护区。该保护区因其水产资源及水生生物如浮游植物、浮游动物、底栖动物、水生维管植物极丰富，为各种鸟类的栖息繁衍提供了优越的自然条件。1998年的团泊鸟类自然保护区即开始开展珍稀鸟类的生态、种群分布、数量变化等研究，定期组织鸟类资源调查，掌握鸟类资源消长变化情况和鸟类迁徙路线，发挥团泊地区鸟类优势，与国外鸟类专家进行交流，使这一地区成为对外联系的窗口。

(4)天津大黄堡湿地自然保护区：保护区成立于2004年，位于天津市武清区东部，总面积11200公顷。是天津市城市总体规划“一轴两带三区”中的“七里海－大黄堡洼”湿地生态环境建设区。特殊的自然地理位置造就了独特的自然旅游资源，这里湿地资源丰富、水网密布、芦苇茂密、气候凉爽、空气清新、动植物种类繁多，是一个由草甸、沼泽、水体、野生动植物等多种生态要素组成的湿地生态系统。称得上是一个动植物基因宝库。大黄堡保护区是大量迁徙候鸟的重要栖息觅食地和部分夏候鸟的繁殖地，为候鸟保护做出了重大贡献。

除了划定自然保护区对鸟类进行保护外，天津市还通过制定和颁布《天津市野生动物保护条例》《天津市重点保护野生动物名录》和《天津市林业局关于陆生野生动物禁猎区、禁猎期的通告》，通过法律法规的渠道对鸟类进行切实的保护。

3 鱼 类

3.1 种类和主要分布

天津地区河渠纵横交错，有永定河、北运河、大清河、子牙河、南运河、蓟运河、潮白河、金钟河等俗称“九河下梢”。根治海河后又新修了人工河道如青龙湾、永定新河、子牙新河等。洼甸池塘星罗棋布，有青甸洼、太和洼、七里海、团泊洼、北大港等。天津又毗邻渤海，使得本市湿地鱼类资源非常丰富，包括海产鱼类、咸淡水鱼类、淡水鱼类。

天津地区鱼类资源丰富，根据实地调查及参考文献资料记载，共有鱼类126种，分别隶属20目47科。其中淡水鱼类59种，咸淡水鱼类17种，咸水鱼类50种。

天津鱼类中，鲤形目种类最多，有2科47种，占总种数的37.3%；其次为鲈形目，有20科38种，占种总数的30.2%；两目占全市鱼类的67.5%，余下的有25科41种，占32.5%。淡水鱼类在全市的淡水区域广泛分布，海产鱼类主要分布在塘沽和北塘地区，咸淡水鱼类在全市大部分水域有分布。

3.2 经济种类的利用情况

天津的渤海湾中带鱼、小黄鱼等为名产，是近海捕捞的主要对象。在淡水鱼类中，由于人工过度捕捞使野生鱼类资源大幅下降。天津地区鱼类养殖比较广泛，利用种类主要为鲤鱼、草鱼、鲫鱼、鲢鱼、鳙鱼等品种。

4 两栖类、爬行类、哺乳类

4.1 种类和主要分布

由于天津地域狭小，使得两栖类、爬行类、哺乳类动物种类相对较少。两栖类有7种，种类最少，均属无尾目，缺少有尾目。中华蟾蜍、花背蟾蜍、黑斑蛙为优势种，在全市广泛分布，其余种类数量较少，分布不广泛，如中国林蛙仅栖息于八仙桌子、盘山等森林茂盛的山间溪流和水坑中。

爬行类中有11种，分属龟鳖目和蛇目。其中蛇类最多，有10种；龟鳖目1种。蛇目中的赤链蛇、白条锦蛇、玉斑锦蛇和黑眉锦蛇等在全市广泛分布。龟鳖目的中华鳖仅分布在蓟县的于桥水库。

分布于天津地区的湿地哺乳动物14种。主要种类有刺猬、猪獾、黑线姬鼠、褐家鼠等。

4.2 经济种类的利用情况

两栖类中的黑斑蛙、金线蛙等都能消灭大量的农田害虫，在维护生态平衡中起重要作用，因此应加以保护，不宜捕捉。爬行类的中华鳖，俗称甲鱼，肉质细嫩，味鲜美，兼有鸡、牛、羊、鱼肉的风味，又有“五味鸡”之称，一直为我国的食谱中的高级菜肴，鳖的经济价值虽高，但其生长缓慢，数量有限，现在养殖已经起步，可以考虑规模养殖。

第四章 湿地资源利用

第一节 湿地资源利用方式及其利用现状

1 天津市湿地资源现状

湿地资源是包括水资源、土地资源、生物资源、景观资源、矿产资源、能源资源、人文等多种资源类别的综合体。

1.1 水资源

水是自然界分布最广泛、最活跃的物质之一，地球表面约有71%的面积为水所覆盖。水是生命、文化的源泉，人类赖以生存和从事各种经济活动的命脉。地球上的淡水资源85%固定在冰川之中，其余15%是由地下水、河川径流、湖泊和沼泽提供的。湿地水资源是指蓄存于湿地之中，可被人类直接或间接用于生产和生活的水。实际上，湿地水资源不仅局限于作为主体的液态部分，水的气态部分也是其重要的组成部分，因为来自于湿地蒸发的水汽对于空气湿度的调节作用显而易见，这部分常常是被人类间接利用的。

天津湿地水资源主要包括河流、湖泊和水库的淡水资源、河口海岸区的咸淡水资源和浅海区的咸水资源。2008年全市水资源总量18.30亿立方米，其中地表水资源量13.61亿立方米，地下水资源量5.91亿立方米，地表水与地下水资源重复计算量1.22亿立方米。2008年入境水量16.85亿立方米，出境、入海水量16.57亿立方米。2008年全市13座大、中型水库年末蓄水量4.72亿立方米，基本保证了全市经济社会发展的基本需求。

1.2 土地资源

由于国土面积小，人口密度大，天津历来土地资源紧缺。资料表明，天津市人均耕地面积约为0.71亩/人，相当于全国平均水平(1.41亩/人)的二分之一。湿地不仅提供了生物资源、水资源等，长期以来在各地均被作为一种重要的后备土地资源加以利用。湿地提供的土地资源为经济社会的发展作出了巨大贡献。但是，天津市委、市政府已充分认识到湿地保护工作的重要性，正在全力平衡保护与利用的关系，制定相关保护政策。

1.3 生物资源

生物资源是湿地的重要组成部分，正是它们赋予湿地无穷的生命力和巨大的生产潜力。天津湿地生物资源极为丰富。以湿地动植物为例，此次调查发现天津有湿地高等植物291种，隶属69科200属，其中有野大豆等国家重点保护野生植物。一些湿地植物长期以来被人类利用，如菱、藕、慈姑等是公众所喜食的水生蔬菜；常用作观赏植物的有千屈菜、香蒲、菖蒲、水葱、荷花、睡莲、美人蕉、黄花鸢尾、慈姑等。湿地脊椎动物有318种，隶属于39目84科，其中两栖类1目4科7种、爬行类2目2科11种、哺乳类5目7科14种、水鸟11目24科160种、鱼类20目47科126种。丰富的生物资源为社会提供了丰富的湿地产品，是社会物质消费的主要来源地。

1.4 景观资源

天津湿地面积大，类型丰富，结构布局独特，城市与湿地交错分布，构成了一个湿地网络，该情况在国内非常少见。境内很多湿地不仅风光秀丽，资源丰富，同时具有重要的科考价值。近海与海岸湿地有典型的渤海潮间带滩涂湿地风光及以遗鸥为旗舰物种的生物多样性；以七里海、大黄堡湿地为代表的芦苇景观，自然风光秀丽，青翠欲滴的芦苇，在人们面前毫不掩饰地宣泄着湿地那诱人的多姿与魅力；天津湿地还是鸟类的天堂，也是候鸟迁徙的中转站，是湿地观鸟的绝佳场所。天津的滨海湿地具有典型的古海岸特征，牡蛎滩、贝壳堤和古泻河湿地，构成天津七里海特有的三大自然景观。牡蛎滩自然遗迹，距今几千年，其规模之壮观，密集程度之高，序列之清晰，保存之完整，国内绝无仅有，世界上亦属罕见。诗人白居易的《隋堤柳》“大业年中炀天子，种柳成行夹流水；西至黄河东至淮，绿阴一千三百里”，以及吴承恩的“村旗夸酒莲花白，津鼓开帆杨柳青，壮岁惊心频客路，故乡回首几长亭；春深水暖嘉鱼味，海近风多健鹤翎，谁向高楼横玉笛，落梅愁觉醉中听”，就生动描写了古代天津的湿地景观。近年来，依托各地的湿地格局特色的湿地景观资源，天津的湿地生态游逐渐成为生态旅游的热点。

2 天津湿地资源的利用方式

湿地作为一种具有可综合开发利用的资源地带，它既有资源保护的特性(如野生动物、植物、自然景观、环境生态)，又具有资源开发利用(如土地、滩涂资源、水资源、矿物资源、港口航运资源等)属性，两者既有统一性(最终目的都是为了国民经济的发展、人类居住环境的改善)，又有相互矛盾的一面，应妥善安排和处理。保护湿地不等于不能合理利用其资源，而资源利用不能不注意湿地的保护，相互结合，具体分析。总的原则是：实事求是，综合平衡，兼顾各方利益。天津市人多地少，湿地面积大，对湿地的利用比较充分，主要利用方式有：

(1)蓄水。全市有大小洼淀、水库近60座，其中较大的有于桥、尔王庄、团泊洼、北大港、黄庄、七里海等水库，水库水域总面积3.27万公顷，再加上既可泄洪又可蓄水的3.23万公顷内陆河流，0.60万公顷的沟渠，全市可蓄水面积约11.35万公顷，总库容达17亿余立方米。利用上述湿地在雨季蓄水，确保全市工农业生产之需，是天津市湿地的主要功能之一。

(2)养殖。利用湿地发展淡水养殖和海水养殖，是天津市湿地利用的主要方式。本次调查水产养殖场面积达 7.15 万公顷，总产量达数百万吨，主要养殖种类有鱼、虾、蟹、贝类、甲鱼等。

(3)苇草生产。湿地为芦苇和杂草的生长繁衍提供了极好的条件，群众称芦苇为旱涝保收的铁秆庄稼，是天津市造纸、民用建筑的重要原料，也是重要的出口物资。据本次调查统计，全市有芦苇 1.09 万公顷，年产芦苇 40 多万吨。

(4)生态旅游。湿地是重要的旅游资源，天津市利用湿地资源开展生态旅游起步较晚，目前已开展旅游的湿地有七里海、团泊洼、东丽湖等湿地，在塘沽的滨海地区有海滨浴场等。

3　天津市湿地资源现状特点

天津市湿地资源类型、数量、质量和分布方面具有显著的特点：

(1)天津地域虽小，但湿地类较全，分布有 5 类 11 型(不含稻田)。

(2)人工湿地面积大，占天津湿地总面积的一半左右。

(3)沿海滩涂湿地生态地位重要。

(4)内陆湿地中集体所有的湿地面积较大。

(5)资源类型多样化，湿地功能、效益广泛。

(6)生物多样性虽较为丰富，但珍稀濒危物种分布较为集中。

(7)部分湿地生态系统的生态功能出现不同程度退化。

4　湿地利用存在的问题及建议措施

4.1　存在问题

由于我国整体对湿地生态价值认识起步较晚，湿地保护管理一直欠缺法律法规的支撑，几十年来，天津市的天然湿地存在面积逐步减少、生态功能逐步退化的趋势。存在的主要问题有：

(1)天然湿地面积减少。除降水减少，上游大量修建水库拦截客水等因素使天津市天然湿地面积萎缩外，围垦是大量天然湿地面积消失或转变为人工湿地的重要原因。随着近几十年来经济社会的迅速发展和人口的持续增长，土地资源越来越紧缺，围垦大型水面或沿海滩涂成为增加陆地面积的重要手段。由于围垦，20 世纪 60 年代以来，大量天然湿地消失转为工农业、城市用地，或转变为以水产养殖、稻田为主的人工湿地。第一次湿地资源调查时潮间淤泥质海滩的面积为 3.70 万公顷，而本次调查面积为 1.15 万公顷。

(2)湿地水环境污染日益加重。调查发现，天津市湿地生态系统水环境质量不容乐观。湿地水环境污染一方面由于客水少，大部分库塘、河流补给依靠天然降雨，水量少，流动性差。另一方面，污染主要来自于工业废水废渣、农业面源污染、城镇污水和垃圾、农村生活污水和垃圾、围网养殖等。2008 年全市污水排放总量 5.08 亿吨，其中城镇居民生活污水占 32.1%，第二产业污水占 46.6%，第三产业污水占 21.3%。2009 年，全市地表水水质大部分为 V 类水或劣 V 类水质，只有北部局部地区能达到Ⅳ类水质标准。河道主要污染为高锰酸盐、氨氮、五日生化需氧量、氟化物，而且氯化物、硫酸盐污染严重。

在近海与海岸湿地，随着沿海工农业的发展、工业区建设、港口建设、滩涂围垦水产养殖等，湿地污染加重。分散在农村居民居住区和耕作区周边的小型库、塘与沟渠，是农业种养殖面源污染和居民生活污水进入主要河道的前置蓄积库，发挥了重要的前期蓄积、沉淀、分解和降解作用。但由于农村生活污水污染、堆放垃圾、过度养殖等，这些小型湿地破坏较为严重。

(3)资源过度利用使湿地生物资源总量及种类日益减少。随着人口密度增加，以及利用湿地资源的生产方式和技术的日益改进，对湿地资源的利用逐渐透支或过支。一方面，由于湿地生态环境质量的降低，生物资源产量在下降。由于围垦和水质污染，影响了湿地的植被，进而影响了珍稀鸟类和水生动物的栖息环境和食物来源，从而威胁其生存和繁殖。另一方面，不合理的开发利用又加剧了这种资源量下降的趋势。特别是近年来随着渔民捕鱼网具日益先进，捕鱼船只增加，捕捞强度日益增加，淡水、海洋生物多样性受到威胁，经济鱼类资源日趋衰退。导致渔获量不断减少，渔获种类日趋单一，种群结构幼龄化、小型化。

(4)生物入侵威胁本土湿地生态系统稳定。生物入侵是某种生物从外地自然侵入或被人为引进，成为野生状态，并对本地生态系统造成一定危害的现象。对于天津湿地生态系统，入侵物种种类和危害程度有逐步加重的趋势。此次调查发现的主要入侵植物物种有互花米草、凤眼莲、空心莲子草、一枝黄花、葎草等。凤眼莲、空心莲子草在内陆淡水水域扩张，繁殖力极强，容易造成河道阻塞，阻碍排灌和泄洪，已经成为淡水湿地生态系统的公害，难于根除；互花米草在沿海滩涂扩张，对沿海滩涂其他生物资源造成一定影响。

但是，十八大以来，天津市委、市政府高度重视生态环境保护，将环境问题作为重大的经济问题、民生问题和事关经济可持续发展和社会和谐稳定的头等大事来抓。在全国率先划定了生态用地保护红线，并配套出台了严格的管控措施。2013 年以来，实施了“美丽天津 · 一号工程”，大力推进清新空气、清水河道、清洁村庄、清洁社区和绿化美化“四清一绿”行动，着力改善全市生态环境和人民群众生产生活条件。通过该工程的实施，天津的湿地生态环境得到了显著改善。其中，清水河道行动坚持控源、截污在先，治污、修河、调水、开源多措并举，构筑了与美丽天津要求相适应的水环境体系。到 2016 年年底，将实现城镇污水处理设施全覆盖，污水集中处理率达到 95% 以上，形成清水津城绕、绿树两岸生的生态景象；清洁村庄行动使农村面源污染和垃圾处理等问题得到全面控制和解决；绿化美化行动中，独流减河和永定新河绿化治理工程、环城四区和滨海新区七个郊野公园建设工程都将切实带动全市湿地生态系统的提升。

4.2 合理利用建议

近年来，天津在湿地保护和合理利用方面做了大量的工作，成绩有目共睹。但由于经济社会高速发展，湿地资源利用压力仍然较大。如何更加科学合理地利用湿地资源成为亟待解决的问题。针对合理利用湿地资源，提出如下建议：

4.2.1 湿地动物资源的合理利用建议

(1)湿地鸟类是湿地区系的主要物种，并为可更新的自然资源，在湿地生态系统食物链中一般处于顶端，对其生态环境状态的变化反映十分敏感，一般都将湿地鸟类作为湿地环境的指示动物。天津市湿地水鸟资源丰富，但由于栖息地的破坏以及乱捕滥猎水鸟的现象时有发生，威胁着水鸟的生存。本次调查结果表明，某些种类的野外遇见率已明显下降，20 世纪 60、70 年代种群数量很大的雁鸭类物种，已经出现资源减少趋势。因此，一是加强现有水域管理，扩大水域面积，恢复湿地植被，大力改善水鸟栖息环境。为摄影爱好者、科研工作者和市民提供更多的观鸟空间。二是实行分类指导，针对不同资源采取不同的利用方式。建立湿地动物资源动态监测体系，掌握资源动态，按濒危程度等级和资源数量，采取相应的保护措施和科学管理措施。三是实行保护优先、积极保护的原则。依靠科技进步，探索保护的新途径，实现保护和利用的有机统一与协调发展。当前的重点是解决一些经济价值较高、社会需求量较大的物种的人工饲养繁殖难题，以人工培育资源替代野生资源。

(2)合理利用渔业资源，大力推广生态养殖。湿地动物资源的生存发展依赖于种群存在数量、丰度和栖息生境的良好。必须牢固树立可持续发展的观念，坚持渔业资源的利用量小于年增长量的原则，使种群得以维持在一个合理的数量水平；同时，努力打造湿地渔业资源利用的生态品牌。

4.2.2　湿地植物资源的合理利用建议

湿地植物与植被不仅是湿地生态系统的主要组成部分，而且还在维护湿地生态系统平衡中起着不可缺少甚至是决定性的作用。因此，合理利用湿地植物与植被对维护湿地生态系统平衡至关重要。

(1)鉴于湿地生态系统的脆弱性，资源开发利用时必须遵循永续利用的原则，以不破坏或直接损耗资源为前提，达到可持续发展的目的。对一些资源量大的植被或植物资源，可进行适度的、有计划的开发利用；很多湿地植被具有优美的景观，是珍贵的旅游资源，可进行保护性利用，如海岸沙滩植被、水库消落区植被、湖泊植被等。

(2)对天津市特殊或稀有植物群落应加强保护，如天津大黄堡湿地植被、七里海湿地植被等。此外，应重视和加强对动物栖息地植被的保护，群落保护的同时更应注意对周边环境的保护。

(3)建立健全湿地保护的有关法律法规，对破坏湿地资源的行为必须进行严厉打击；对涉及湿地的大型工程必须经专家论证、环境预测评价并采取有效保护措施后方可上马；应加大治污力度，严格管理污水的排放。

(4)加强湿地害草的控制和利用研究，以达到用治结合、变害为利的目的。另外应注意的是，在决定引进某种湿生或水生植物时，应十分慎重，以免引起严重的生态性灾难。

4.2.3　湿地生态旅游资源的合理利用建议

(1)加强湿地旅游资源的统一规划。景观价值及旅游项目、城市依托、交通设施、旅游服务是现代旅游的基本条件和四大要素。要发展湿地旅游，首先要搞好宏观规划，将待建的湿地景区景点纳入宏观规划之中，避免开发中的资源破坏；在此基础上，还应进一步搞好湿地景区景点的详细规划及配套设施的建设，使湿地与周边自然景观融为一体；对现有已开发的湿地景区景点，应发展完善景区配套设施建设，开发富有地方特色的湿地名优特旅游产品。

(2)强调湿地旅游的可持续发展。湿地旅游的开发和其内的旅游活动以不违反生态规律为限度，在其内的人类活动不应超过湿地的环境承载力。开展生态旅游首先应端正旅游开发的指导思想，纠正“有资源就可开发”的错误思想，把开发和建设思想统一到与社会和环境协调一致的可持续发展的思路上来；其次，坚决避免重走“先污染后治理”的老路，旅游开发必须在规划中充分论证开发的社会和环境影响，实行开发和保护相结合，在保护的基础上适度开发，湿地资源的可逆性很差，一旦被污染或破坏，就很难恢复，有的甚至无法恢复。

4.2.4 湿地土地资源的合理利用建议

建议在制定各项建设规划时，必须严格按照《土地法》的规定，精打细算，合理布局，尽量少占湿地，更不应做填了天然湿地又在原地造人工湿地的蠢事；实施规划时，必须按分阶段发展的要求，分期征用，防止过早地大量占用而造成浪费；对于湿地征占用的审批，应改变湿地是“闲杂地”或“未利用地”的概念；研究完善征用湿地占用费的制度与办法，分别针对不同的地区、湿地类型、用途等制定相应的收费标准，采用经济措施来调控征占用湿地并防止多占滥占；征占用湿地时，除严格执行审批手续外，还应办理湿地征占用的其他手续，足额收取征占用费；大型项目必须执行先期环境评估，严格控制占地规模；对近海与海岸湿地的围占，要科学论证、规划，防止盲目围垦，损坏生态环境，杜绝海涂开发使用中的不合理现象。

第二节 湿地资源可持续利用前景分析

1 湿地资源可持续利用潜力

湿地是具有多种功能的独特生态系统，是重要的自然资源和人类生存环境资本，在支撑人类社会和谐发展和自然系统有序循环等方面有着举足轻重的作用。但同时湿地生态系统也是非常脆弱的生态系统，如果受到干扰和破坏，湿地的生态功能很容易受到影响，进而影响湿地资源的可持续利用。从可持续发展角度来看，要维持湿地资源的可持续利用，首先需要确保湿地生态系统的完整性。湿地资源的开发利用和湿地资源的保护需要合理协调，总体上应该是保护优先，在保护的基础上进行适度开发利用，实现生态效益、经济效益和社会效益的统一。

天津市地处九河下梢，自古以来广大人民的生产、生活就与丰富的湿地资源息息相关，如果说是湿地孕育了天津这座历史文化名城的出现，那么近代天津的发展和繁荣则是在湿地上发展和演变的产物。无论是从可持续发展的观点出发，还是从建设现代化国际型港口大城市的需要考虑，湿地对于天津的经济、社会、生态都有举足轻重的作用。与全国其他省份相比较，天津市国土面积小，但湿地面积大，类型多，分布广，有特色，有亮点。从可持续利用角度，天津市今后应该加强对全市湿地的统筹保护，制定全市湿地保护发展规划，使天津湿地不仅成为一张绿色名片，更成为促进经济社会发展的有力推手。

2 湿地资源可持续利用的优势

天津湿地资源可持续利用，具有一定的优势。

(1)整体生态建设力度加强。随着生态文明建设纳入国家五位一体总体布局，天津市委、市政府生态建设力度大大加强。天津市成为全国首个划定“生态用地保护红线”的省市。全市生态用地保护总面积2980平方公里，占市域国土总面积的25%。其中，红线区面积占15%，黄线区占10%，红线区内12%左右的生态用地属于湿地。为了加强对生态用地的保护，市人大审议通过了《关于批准划定永久性保护生态区域的决定》，市政府出台了《天津市永久性保护生态区域管理规定》。同时，市发改委、市规划局等部门正在完善其他保护配套政策。

(2)鸟类资源丰富，景观良好。天津位于东亚至澳大利亚候鸟迁徙路线上，是候鸟迁徙重要栖息地，丰富的鸟类资源，优美的湿地景观吸引了众多的观鸟赏景及摄影、科研、保护人员或工作者，旅游、科研、宣教潜力巨大。

(3)总量小，有利于保护经费的集中使用。相对于其他省份大面积的湿地，天津的湿地面积总量小，湿地保护区少，仅有北大港湿地、团泊洼湿地、大黄堡湿地和七里海湿地 4 个保护区，这样有利于将有限的保护经费集中使用，对重点湿地资源进行有效的保护。

(4)政协委员、人大代表关注湿地保护。近年来，不断有政协委员、人大代表提交有关加强湿地保护的提案或建议。在他们的强烈关注和大力呼吁下，《天津市湿地保护条例》纳入了市人大立法议程。

(5)市民湿地保护意识逐渐提高。作为直辖市，天津市的湿地斑块，很多位于城市或乡镇周边，随着市民环境意识的提高，希望接触自然的愿望日益强烈，这在很大程度上给湿地的保护提供了社会推动力，媒体对湿地保护、鸟类迁徙等内容的报道也大大增加，有利于天津市湿地保护工作的推动。

3　湿地资源可持续利用的保障措施

3.1　湿地保护制度建设

在市委、市政府、市人大等主要领导的高度关注和大力推动下，《天津市湿地保护条例》纳入 2014 年市人大争取审议项目。市人大两位副主任多次听取专题汇报，有力推动了湿地立法进程。

市人民政府正在研究制定《天津北大港湿地自然保护区管理办法》。

3.2　已有政策支持

据不完全统计，天津市已建立的与湿地保护有关的法规和规章有：《天津市人民政府关于保护鸟类的布告》《天津市林业局关于发布陆生野生动物禁猎区、禁猎期的通告》《天津市野生动物保护条例》《天津市绿化条例》《天津市海洋保护法实施办法》《天津古海岸与湿地国家级自然保护区管理办法》《天津市人民代表大会常务委员会关于批准划定永久性保护生态区域的决定》等。

3.3　资金投入

目前，天津市湿地类型自然保护区共 4 个，总面积 8.80 万公顷。自 2008 年以来，开展湿地自然保护区基础设施建设、保护工程建设、科研宣教工程建设总投资约 2 亿余元，有效改善了保护区管护能力和野生动物栖息环境。七里海湿地鸟类监测系统大大提高了工作效率；北大港湿地自然保护区成为保尔森中心等众多国际知名环保机构进行交流和合作的平台。

随着市委、市政府生态保护力度不断加强，将投入更多的资金用于湿地生态保护与修复。

第五章
湿地资源评价

第一节
重点调查湿地概况

1 基本概况

根据《全国湿地资源调查技术规程》的要求，结合天津市湿地资源现状和保护管理的需求，第二次天津市湿地资源调查确定的重点调查湿地有4块(图5-1)，分别为北大港湿地、团泊洼湿地、大黄堡湿地、七里海湿地。重点调查湿地范围总面积为8.80万公顷，其中湿地面积为5.01万公顷，占重点调查湿地范围总面积的56.93%。

这些重点调查湿地分布在大港区、静海县、武清区和宁河县，目前均建立了自然保护区。其中，七里海湿地所在地为国家级自然保护区，其余3处为市级自然保护区。由于这些重点调查湿地均位于保护区内，受到较为严格的保护，因此受威胁状况等级为轻度。土地所有权主要为集体所有，除团泊洼、北大港水库、独流减河为国有土地外，其余均为集体所有。

2 重点调查湿地名录

天津市的重点调查湿地名录见表5-1。

表5-1　天津重点调查湿地名录

序号	湿地名称	湿地区编码	主要湿地类	所属保护区总面积(公顷)	湿地面积(公顷)	行政区域	列入重点调查湿地的条件
1	北大港湿地	1250001	人工湿地	34887	31800.84	大港区	国家重要湿地、市级自然保护区
2	团泊洼湿地	1230002	湖泊湿地	6040	5777.63	静海县、西青区	市级湿地自然保护区
3	大黄堡湿地	1240003	沼泽湿地	11200	7397.35	武清区	市级湿地自然保护区
4	七里海湿地	1240004	沼泽湿地	35913	5144.36	宁河县	国家重要湿地、国家级自然保护区
5	总　计			88040	50120.18		

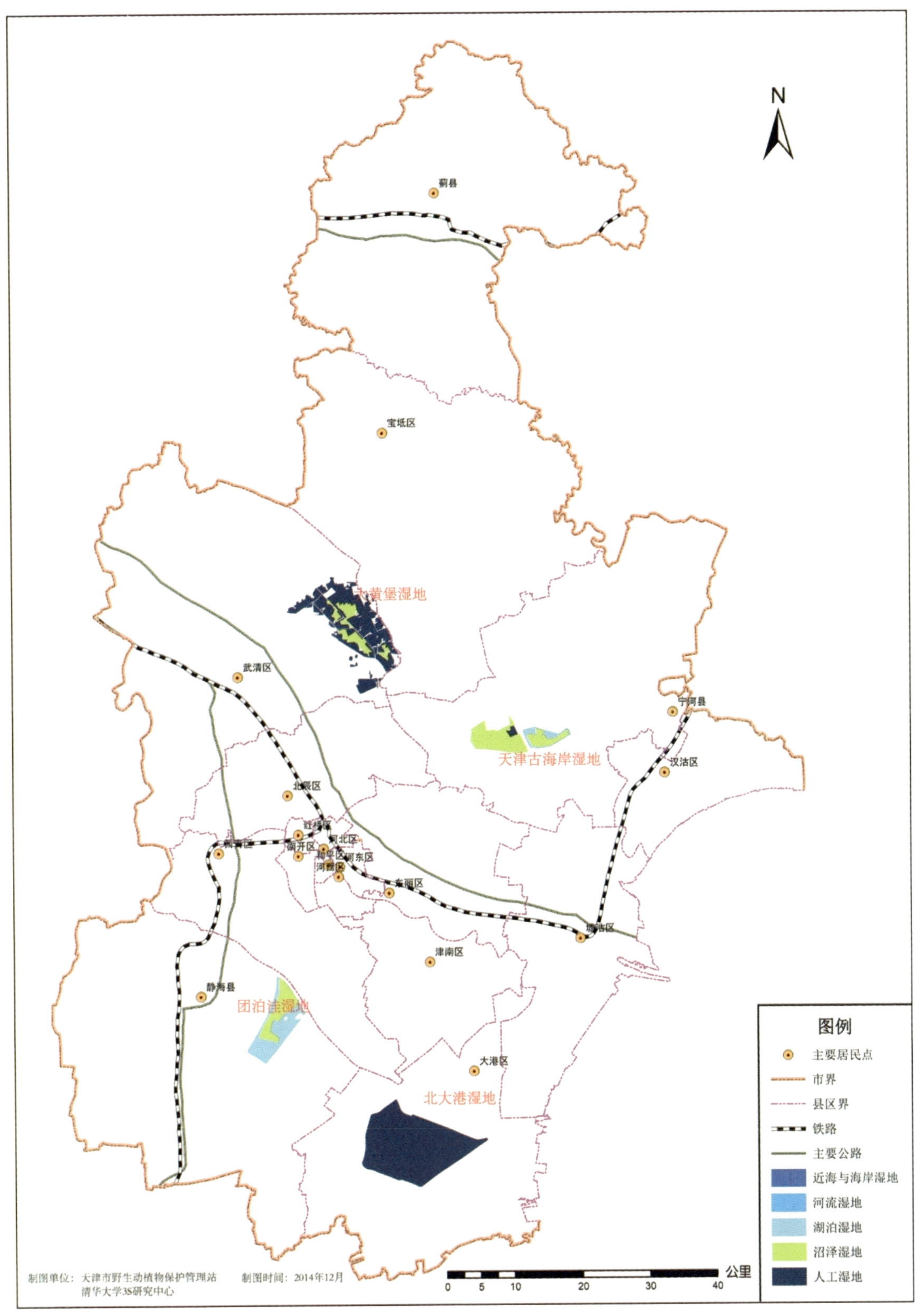

图 **5-1**　天津重点调查湿地分布图

3 各重点调查湿地概述

天津市纳入《中国湿地保护行动计划》的国家重要湿地名录有天津古海岸湿地(即七里海湿地)和北大港湿地。天津市湿地自然保护区总计4处(表5-2)。经过筛选确定，去除重复部分，本次调查纳入重点调查湿地的共有4处。各重点调查湿地将从基本情况、地理位置、自然环境概况、水环境状况、主要动物种群、主要植物群落、保护管理状况等方面进行论述。

表5-2 天津湿地自然保护区一览表

序号	保护区名称	级别	经纬度	主要保护对象	保护区总面积(公顷)	湿地面积(公顷)	主管部门	建立时间	管理机构
1	天津北大港湿地自然保护区	市级	东经117°11′~117°37′，北纬38°36′~38°57′	鸟类	34887	31800.84	滨海新区农委	1999年	天津北大港湿地自然保护区管理中心
2	天津团泊鸟类自然保护区	市级	东经117°09′~117°30′，北纬38°51′~38°58′	鸟类	6040	5777.63	静海县林业局	1985年	天津市团泊鸟类自然保护区工作站
3	天津大黄堡湿地自然保护区	市级	东经117°10′33″~117°19′58″，北纬39°21′4″~39°30′27″	珍稀水鸟及丰富的生物多样性	11200	7397.35	武清区林业局	2004年	天津大黄堡湿地自然保护区管理处
4	天津古海岸与湿地自然保护区	国家级	东经117°32′，北纬39°17′	湿地	35913	5144.36	天津市海洋局	1984年	天津古海岸与湿地国家级自然保护区管理处

3.1 北大港湿地

基本情况：湿地区编码为1250001；湿地面积31800.84公顷；湿地斑块数量27块；主要湿地类为人工湿地和河流湿地。北大港湿地各湿地型的统计数据见表5-3，湿地斑块名录见表5-4，湿地斑块的分布如图5-2。

表5-3 北大港湿地统计表

湿地类型		面积(公顷)	比例(%)
101	浅海水域	88.82	0.28
106	淤泥质海滩	1760.02	5.53
109	河口水域	80.75	0.25
201	永久性河流	1189.35	3.74

（续）

湿地类型		面积(公顷)	比例(%)
203	洪泛平原湿地	4496.51	14.14
402	草本沼泽	971.77	3.06
501	库塘	15582.68	49.00
502	运河/输水河	867.35	2.73
503	水产养殖场	6763.59	21.27
总 计		31800.84	100

表 5-4 北大港湿地区湿地斑块名录

序号	斑块名称	湿地型	湿地面积(公顷)	北 纬	东 经
1	马棚口村东湿地	503	9.36	38°39′43″	117°33′37″
2	沧浪渠	502	34.25	38°36′55″	117°27′15″
3	子牙新河河口	109	80.75	38°39′53″	117°34′53″
4	北大港浅海水域	101	88.82	38°40′01″	117°36′08″
5	子牙新河旁分水渠	502	99.36	38°39′14″	117°27′22″
6	子牙新河	201	118.82	38°39′09″	117°27′25″
7	李二湾东水产养殖场	503	123.92	38°37′37″	117°34′19″
8	窦庄子村湿地	503	134.46	38°36′38″	117°27′13″
9	北大港水库东湿地	503	141.55	38°45′06″	117°29′24″
10	青静黄排水河	201	147.17	38°39′25″	117°27′02″
11	马棚口村湿地	503	171.28	38°39′35″	117°32′23″
12	马棚口村东南湿地	503	171.52	38°39′22″	117°33′27″
13	北排河	201	227.04	38°37′09″	117°28′34″
14	沙井子村东湿地	503	228.75	38°38′31″	117°24′02″
15	独流减河平原湿地(四)	503	378.3	38°48′50″	117°22′39″
16	独流减河洪泛平原沼泽湿地	402	470.2	38°48′21″	117°21′06″
17	独流减河洪泛平原沼泽湿地	402	501.57	38°46′08″	117°26′50″
18	马棚口一村湿地	503	664.62	38°36′52″	117°29′28″
19	独流减河	201	696.32	38°46′30″	117°24′10″
20	北大港水库引水渠	502	733.74	38°43′15″	117°21′23″
21	独流减河平原湿地(二)	503	757.7	38°47′30″	117°25′08″
22	沙井子水库	501	798.18	38°39′37″	117°24′28″
23	钱圈水库	501	827.94	38°45′30″	117°12′30″
24	北大港沿海海滩	106	1760.02	38°38′35″	117°35′26″
25	李二湾湿地	503	3982.13	38°38′10″	117°28′11″
26	独流减河洪泛平原	203	4496.51	38°47′11″	117°24′20″
27	北大港水库	501	13956.56	38°44′17″	117°20′38″

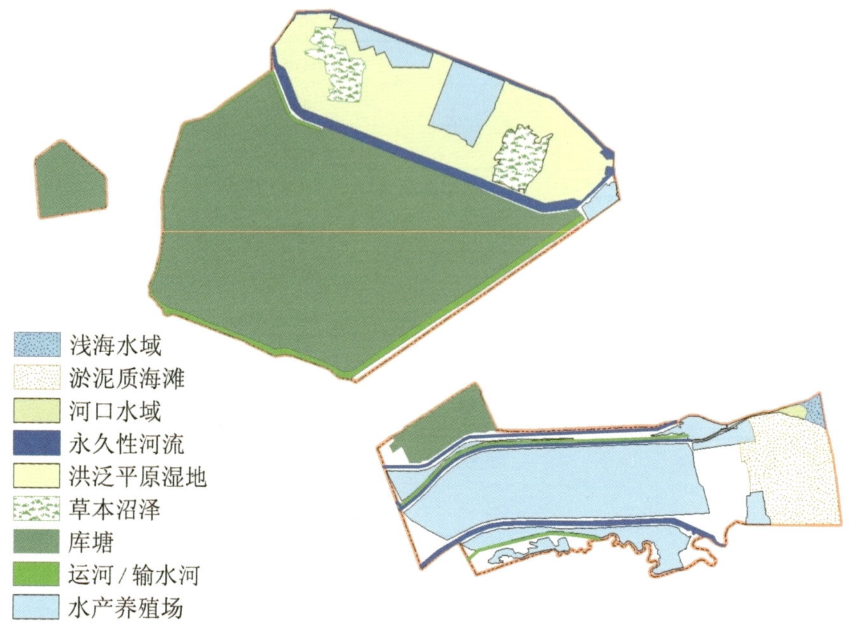

图 **5-2** 北大港湿地斑块分布图

地理位置：位于滨海新区大港地区，地理坐标为东经 117°11′~117°37′，北纬 38°36′~38°57′。

自然环境概况：北大港湿地（图 5-3、图 5-4）地形由海岸和退海岸成陆冲积淤泥组成，因而形成了以河砾黏土为主的盐碱地貌。整个地势西南略高，东北略低，比较平坦，高差不大。北大港湿地东部的渤海湾为滩涂，中部有北大港水库，西部有钱圈水库，南部有沙井子水库。高程在 3.88~5.08 米。土壤类型为盐化潮土、滨海盐土，土层厚度 0.3~0.6 米。属于暖温带半湿润大陆性季风气候。年平均气温 13.6℃，最高平均气温 26℃，最低平均气温 -4.8℃；年平均降水量 528.24 毫米；年均蒸发量 1947 毫米；≥0℃年均积温 5149.7℃，≥10℃年均积温 4707.7℃。

图 **5-3** 北大港湿地景观（一）

图 **5-4** 北大港湿地景观(二)

水环境状况：北大港湿地河流纵横交错，坑塘洼淀多，境内有独流减河、子牙新河、北排河、青静黄排水渠等河流，主要担负输水、引水、防汛期泄洪任务。地下水位线多在 1 米以下，基本上没有浅层地下淡水，地下水矿化度 4 ~5.5 克/升。

主要依靠大气降水和人工补给，偶尔有水流出。北大港水库的平均枯水位为 2.5 米，平水位为 5.5 米，丰水位为 7.0 米。北大港水库最大水深为 4.5 米，平均水深为 3 米。北大港水库蓄水量为 55000 万立方米。北大港水库 pH 值为 8.6，总氮为 0.48 毫克/升，总磷为 0.01 毫克/升，营养状况为富营养。

主要动物：北大港湿地内有脊椎动物共 290 多种。动物中鸟类 17 目 47 科 239 种，其中湿地水鸟 130 种。本区有受到国际保护的物种，如被列入《亚太地区具有特殊保护意义的迁徙水鸟名录》中的种类，包括紫背苇鳽、鸿雁、花脸鸭、青头潜鸭、白眼潜鸭、灰头麦鸡、青脚鹬、半蹼鹬、黑嘴鸥等。有属于国家级保护鸟类 39 种：其中属国家Ⅰ级保护物种的有 7 种，即白鹤、丹顶鹤、遗鸥、黑鹳、东方白鹳、大鸨和白尾海雕；属国家Ⅱ级保护物种的有 32 种，即疣鼻天鹅、大天鹅、小天鹅、白额雁、鸳鸯、白枕鹤、灰鹤、鹗、鹊鹞、角鸊鷉、黄嘴白鹭、白琵鹭、黑脸琵鹭、卷羽鹈鹕、东方角鸮、纵纹腹小鸮、长耳鸮、短耳鸮、黑翅鸢、黑耳鸢、白腹鹞、白尾鹞、雀鹰、普通鵟、大鵟、毛脚鵟、乌雕、红隼、阿穆尔隼、灰背隼、燕隼和游隼。同时还发现北大港是灰鹤重要栖息地及繁殖地。本区有 8 种涉禽，即黑翅长脚鹬、鹤鹬、环颈鸻、灰斑鸻、反嘴鹬、弯嘴滨鹬、红腹滨鹬、大滨鹬。

鱼类近 40 种，包括青鱼、草鱼、白鲢、鲫鱼、棱鱼、鲈鱼、鲶鱼、白条、鲤鱼、泥鳅、黄鳝等。两栖类 5 种。爬行类 8 种，即无蹼壁虎、丽斑麻蜥、鳖、赤链蛇、黑眉锦蛇、棕黑锦蛇、红点锦蛇、黄脊游蛇。哺乳类 13 种。

主要植物：北大港湿地区域内有高等植物 50 科 126 属 203 种。其中被子植物 47 科 123 属 200 种；蕨类植物 3 科 3 属 3 种。基本都属于广布、常见物种。这些植物按其生存环境，构成丰富的陆地植被类型，有茨藻群落，金鱼藻群落，苦草群落，芦苇群落，水葱群落，芦苇-香蒲群落，扁秆藨草群落，芦苇、盐地碱蓬群落等，盐生草甸群落，以及柽柳群落等木本群落。本区湿地主要植物有：水生、湿生、中生、旱生植物。

保护管理状况：天津市北大港湿地自然保护区于1999年8月由大港区政府批准成立，后经过扩建，2001年12月经市政府批准，建立了市级自然保护区。保护区总面积为43495.37公顷。2008年5月保护区进行了调整，调整后的总面积为34887.13公顷。保护区包括北大港水库、沙井子水库、钱圈水库、独流减河、官港湖、李二湾水库、沿海滩涂和独流减河下游共7个区域，4种类型(即：湖泊湿地、河流湿地、滩涂湿地、沼泽湿地)。

湿地功能与利用方式：主要利用方式为水产养殖、芦苇生产、开采石油。其中，每年的鱼、虾、蟹的产量为7941吨，产值达10739万元；芦苇每年的产量为31429吨，产值为2200万元；石油产量为507万吨。

受威胁状况：主要威胁因子为偷猎、非法捕捞、水资源不足等。受威胁状况等级为轻度。

土地所有权：北大港水库、钱圈水库、独流减河、沿海滩涂为国有，其余为集体所有。

湿地主管部门和管理机构：2014年，在天津市委、市政府的高度重视下，天津市机构编制委员会办公室批准将涉及北大港保护区管理的多个事业单位进行整合，组建天津市北大港湿地自然保护区管理中心，实现了统一管理。该管理中心核定事业编制40名，上级主管部门为滨海新区农委。

3.2 团泊洼湿地

基本情况：湿地区编码为1230002；湿地总面积5777.63公顷；湿地斑块6块；主要湿地类为沼泽湿地和湖泊湿地。团泊洼湿地各湿地型的统计数据见表5-5，湿地斑块名录见表5-6，湿地斑块的分布如图5-5。

表5-5 团泊洼湿地统计表

湿地类型		面积(公顷)	比例(%)
201	永久性河流	1224.84	21.20
203	洪泛平原湿地	518.08	8.97
301	永久性淡水湖	1916.40	33.17
402	草本沼泽	2118.21	36.66
总　计		5777.63	100

表5-6 团泊洼湿地区湿地斑块名录

序　号	斑块名称	湿地型	湿地面积(公顷)	县级行政区	北　纬	东　经
1	独流减河洪泛平原(一)	203	212.77	西青区	38°55′47″	117°09′24″
2	独流减河洪泛平原(三)	203	305.41	静海县	38°55′43″	117°09′19″
3	独流减河	201	602.66	静海县	38°56′47″	117°07′49″
4	独流减河	201	622.18	西青区	38°56′50″	117°08′20″
5	团泊洼水域湿地	301	1916.40	静海县	38°54′03″	117°05′37″
6	团泊洼芦苇湿地	402	2118.21	静海县	38°55′24″	117°06′21″

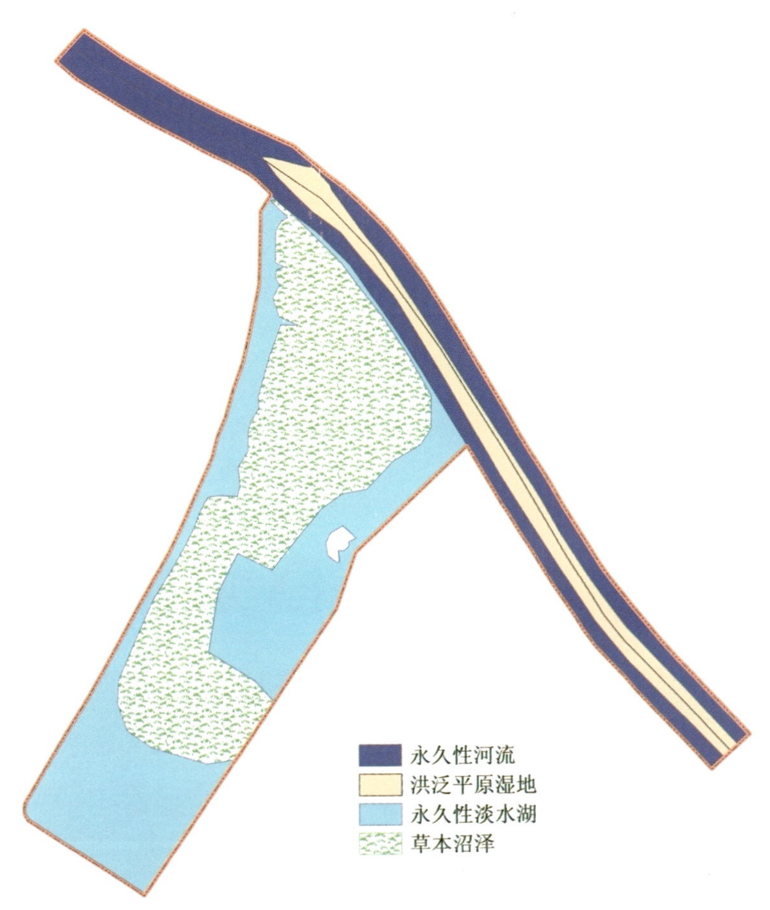

图 **5-5** 团泊洼湿地斑块分布图

地理位置：位于天津市区南部静海县和西青区境内，距市中心区 24 公里，距静海县城 21.5 公里。地理坐标为东经 117°09′～117°30′，北纬 38°51′～38°58′。

自然环境概况：团泊洼湿地属华北平原东部平原地带，海拔 2.7～3.0 米，北部毗邻独流减河、南有青年渠、东靠七排干、西有六排干。土壤为滨海潮土。属于暖温带半湿润大陆性季风型气候。年平均气温 11.9℃，最高平均气温 26℃，最低平均气温 -4.8℃；年平均降水量 571 毫米；年均蒸发量 1849.0 毫米；≥0℃年均积温 4635.9℃，≥10℃年均积温 4234.9℃。

水环境状况：团泊洼湿地水源来自子牙河、大青河流入独流减河后注入水库。还可以从黑龙港河流入港团河后注入团泊洼湿地。团泊洼湿地水体底部西南高，东北渐低。主要依靠地表径流补给。偶尔有水流出。平均枯水位为 3.4 米，平水位为 4.5 米，丰水位为 6.0 米。最大水深为 2.7 米，平均水深为 1.8 米。pH 值为 8.3。总氮为 3.91 毫克/升，总磷为 0.15 毫克/升。营养状况为富营养。

主要动物：团泊洼湿地中鱼类 25 种，分别隶属 5 目 9 科，其中重要经济鱼类 10 种，优势种是：草鱼、鲤鱼、鲫鱼、黄颡鱼、翘嘴红鲌，其他鱼类经济意义不大。两栖类动物有 1 目 2 科 3 种，分别为花背蟾蜍、中华大蟾蜍和黑斑蛙。爬行类动物有 1 目 1 科 5 种，分别为乌梢蛇、王锦蛇、黑眉锦蛇、棕黑锦蛇和白条锦蛇。团泊洼湿地鸟类资源丰富，主要为旅鸟和冬、夏候鸟类，留鸟数量很少。鸟类164种，其中国家Ⅰ级保护的有黑鹳、东方白鹳、大鸨，国家Ⅱ级保护的有天鹅、鸳鸯、白琵鹭。每年春、秋两季，有成千上万的候鸟在此路过停歇，其中许多种类是《中日保护候鸟及其栖息环境协定》中明令保护的。

主要植物：团泊洼湿地有湿地植物35科70属128种。主要植物群落包括芦苇、香蒲、水葱、荆三棱和水蓼等挺水植物群落。

保护管理状况：团泊洼湿地是中亚区鸟类南北迁徙的必经之路(图5-6、图5-7)。1985年建立县级鸟类自然保护区，1992年晋升为市级候鸟自然保护区。保护区面积为6040公顷，其中核心区面积为1020公顷。主要保护对象为候鸟及其作为栖息地的团泊洼湿地生态系统。

图 **5-6** 团泊洼湿地景观(一)

图 **5-7** 团泊洼湿地景观(二)

湿地功能与利用方式：主要利用方式为水产养殖和芦苇生产，生态旅游活动刚刚起步。其中，每年的鱼、虾、蟹的产量为630吨，产值达269万元。

受威胁状况：主要威胁因子为基建与城市化对湿地及其周边环境造成一定影响。受威胁状况等级为轻度。

土地所有权：国有。

湿地主管部门和管理机构：主管部门为静海林业部门，设有团泊鸟类自然保护区管理站，其人员编制为5人，其中行政管理人员3人，技术人员2人，主要从事团泊保护区的日常管理工作。

3.3　大黄堡湿地

基本情况：湿地区编码为1240003；湿地总面积7397.35公顷；湿地斑块42块；主要湿地类为人工湿地和沼泽湿地。大黄堡湿地各湿地型的统计数据见表5-7，湿地斑块名录见表5-8，湿地斑块的分布如图5-8。

表5-7　大黄堡湿地统计表

湿地类型		面积(公顷)	比例(%)
201	永久性河流	249.58	3.37
402	草本沼泽	1625.40	21.97
501	库　塘	509.98	6.90
502	运河/输水河	10.89	0.15
503	水产养殖场	5001.50	67.61
总　计		7397.35	100

表5-8　大黄堡湿地区湿地斑块名录

序　号	斑块名称	湿地型	湿地面积(公顷)	北　纬	东　经
1	大辛庄北渠	502	10.89	39°23′57″	117°16′33″
2	大黄堡东南陈庄村湿地	503	11.48	39°25′24″	117°17′51″
3	大黄堡刘靳庄南湿地	503	15.76	39°29′15″	117°17′03″
4	柳河干渠	201	19.19	39°27′11″	117°14′39″
5	王三庄北湿地	503	24.15	39°21′51″	117°17′09″
6	大黄堡北2号湿地	503	24.51	39°27′44″	117°14′34″
7	大黄堡南2号台田湿地	503	26.88	39°25′06″	117°17′16″
8	上马台乡南湿地	503	28.28	39°23′03″	117°16′42″
9	大黄堡南1号台田湿地	503	30.72	39°25′24″	117°16′33″
10	金泉湖东湿地	503	32.06	39°22′31″	117°17′21″
11	大黄堡南3号台田湿地	503	34.55	39°25′08″	117°17′49″
12	王三庄西台田湿地	503	38.96	39°21′38″	117°16′46″
13	大黄堡西1号湿地	503	40.61	39°28′00″	117°13′26″
14	大黄堡东北1号湿地	503	41.84	39°27′30″	117°17′10″
15	大黄堡东北台田湿地	503	43.72	39°27′21″	117°17′29″
16	狼窝引河	201	50.45	39°27′42″	117°16′48″

（续）

序 号	斑块名称	湿地型	湿地面积(公顷)	北 纬	东 经
17	大黄堡西台田湿地	503	57.51	39°27′05″	117°13′45″
18	大黄堡西 2 号湿地	503	65.4	39°27′25″	117°13′16″
19	大黄堡东 2 号台田湿地	503	92.88	39°26′10″	117°18′30″
20	大黄堡东南芦苇 1 号湿地	402	93.26	39°25′15″	117°18′20″
21	大黄堡东北 2 号湿地	503	93.3	39°27′08″	117°17′48″
22	王三庄南湿地	503	99.56	39°21′27″	117°16′23″
23	大黄堡西芦苇湿地	402	100.98	39°27′22″	117°14′00″
24	大黄堡东南 1 号湿地	503	101.16	39°25′13″	117°19′00″
25	大黄堡东南芦苇 2 号湿地	402	108.59	39°24′41″	117°18′10″
26	大黄堡东南台田湿地	503	126.48	39°24′30″	117°18′55″
27	大黄堡白楼村台田湿地	503	130.71	39°28′32″	117°16′40″
28	大黄堡西 3 号湿地	503	145.13	39°26′38″	117°14′37″
29	大黄堡北 4 号湿地	503	175.89	39°26′43″	117°15′52″
30	龙凤河	201	179.94	39°24′14″	117°16′56″
31	大黄堡西北芦苇湿地	402	195.95	39°28′13″	117°12′52″
32	大黄堡东南 2 号湿地	503	207.89	39°24′16″	117°18′05″
33	大黄堡北 3 号湿地	503	218.23	39°27′18″	117°15′13″
34	大黄堡东湿地	503	234.61	39°26′10″	117°17′59″
35	大黄堡南湿地	503	288.9	39°25′57″	117°16′53″
36	大黄堡东 1 号台田湿地	503	439.28	39°27′50″	117°16′03″
37	大黄堡南 1 号湿地	503	441.57	39°25′20″	117°15′08″
38	大黄堡北芦苇湿地	402	454.65	39°28′28″	117°14′17″
39	金泉湖(上马台水库)	501	509.98	39°22′16″	117°16′10″
40	大黄堡西北 1 号湿地	503	547.85	39°28′37″	117°11′54″
41	大黄堡南芦苇湿地	402	671.97	39°25′54″	117°15′07″
42	大黄堡北 1 号湿地	503	1141.63	39°29′33″	117°13′49″

地理位置：位于天津市武清区，地理坐标在东经 117°10′33″～117°19′58″和北纬 39°21′04″～39°30′27″之间，东西宽 13.6 公里，南北长 18.2 公里，总面积 1.12 万公顷。

自然环境概况：大黄堡湿地地处华北平原东北部，海河流域下游，为冲积平原和海积冲积平原。土壤类型为潮土。季节变化明显，介于大陆性气候和海洋性气候的过渡带上，属于暖温带半湿润大陆性季风气候，一年四季分明。年平均气温 11.6℃；年平均降水量 573.9 毫米；年均蒸发量 1164.4 毫米；≥0℃年均积温 4593.7℃，≥10℃年均积温 4187.6℃。

水环境状况：大黄堡湿地的地表水系属于海河水系，流经保护区的河流主要有龙凤河（北京排污河）、柳河干渠和粮窝引河。补给方式为综合补给，主要靠地表径流和大气降水。季节性有水流出。pH 值为 7.96。总氮为 1.195 毫克/升，总磷为 0.224 毫克/升。营养状况为富营养。水质级别为 3 类水。

主要动物：大黄堡湿地有陆生哺乳动物 5 目 7 科 14 种，有鸟类 16 目 32 科 167 种，两栖爬行类共计 4 目 7 科 12 种，鱼类 5 目 10 科 25 种。其中国家Ⅰ级保护野生动物 5 种，国家Ⅱ级保护野生动物 28 种，全部为鸟类。

主要植物：大黄堡湿地内现已查明有高等植物 32 科 97 属 179 种。其中蕨类植物 1 科 1 属 1 种；被子植物 31 科 96 属 178 种。大黄堡湿地是一个由多种生态要素组成的生态系统，其生态类型复杂多样，其中芦苇占绝对优势。

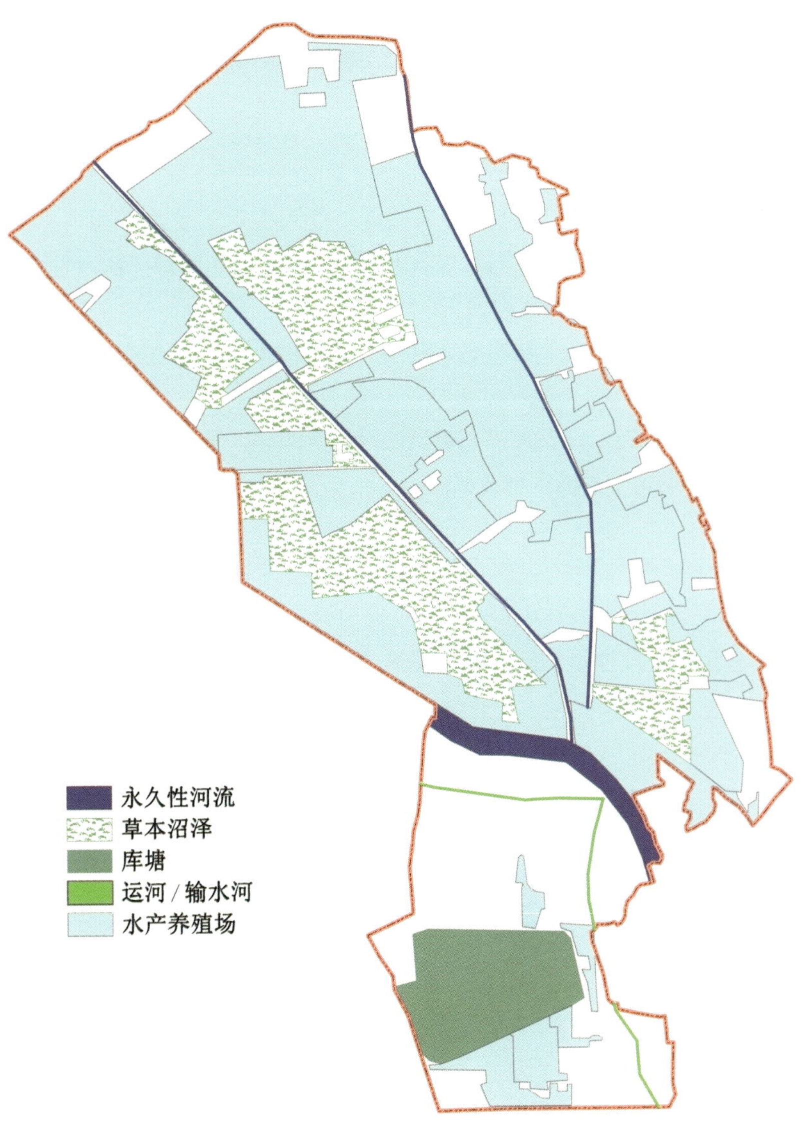

图 **5-8**　大黄堡湿地斑块分布图

保护管理状况：为保护芦苇沼泽湿地及其水生和陆栖野生生物生境，2004 年武清区成立了大黄堡市级湿地自然保护区，保护区总面积为 11200 公顷，其中核心区面积为 3947 公顷(图 5-9、图 5-10)，并在武清区林业局内成立了自然保护区管理处。保护区成立后，先后实施了湿地保护与恢复工程、基础设施建设工程，总计投入 1600 多万元。

图 **5-9**　大黄堡湿地景观(一)

图 **5-10**　大黄堡湿地景观(二)

湿地功能与利用方式：主要利用方式为水资源、芦苇生产、水产养殖。其中，每年的鱼、虾、蟹的产量为 24586 吨，产值达 20631 万元；芦苇每年的产量为 10500 吨，产值为 315 万元；提供的水资源总量为 11412 万吨；调蓄能力为 10600 万立方米。

受威胁状况：主要威胁因子为非法狩猎、开垦。受威胁状况等级为轻度。

土地所有权：集体所有。

湿地主管部门和管理机构：设有天津大黄堡湿地自然保护区管理处，为全额拨款正科级事业单位，人员编制 20 人，隶属于武清区林业局。

3.4　七里海湿地

基本情况：湿地区编码为 1240004；湿地总面积 5144. 36 公顷；湿地斑块 14 块；主要湿地类为沼泽湿地。七里海湿地各湿地型的统计数据见表 5-9，湿地斑块名录见表 5-10，湿地斑块的分布如图 5-11。

表 5-9　七里海湿地统计表

湿地类型		面积(公顷)	比例(%)
201	永久性河流	272. 03	5. 29
301	永久性淡水湖	670. 70	13. 04
402	草本沼泽	3603. 07	70. 04
502	运河/输水河	21. 80	0. 42
503	水产养殖场	576. 76	11. 21
总　计		5144. 36	100

表 5-10　七里海湿地区湿地斑块名录

序号	斑块名称	湿地型	湿地面积(公顷)	北　纬	东　经
1	引滦输水明渠	502	7.67	39°16′44″	117°29′39″
2	俵口乡南渠	502	14.13	39°18′29″	117°35′15″
3	西七里海大王台村东湿地	503	25.94	39°16′37″	117°29′56″
4	西七里海大王台村西湿地	503	32.81	39°16′42″	117°28′16″
5	西七里海造甲城镇湿地	503	36.30	39°17′10″	117°27′25″
6	西七里海潘庄农场 1 号湿地	503	46.57	39°18′28″	117°26′49″
7	津唐运河	201	98.37	39°16′30″	117°32′53″
8	东七里海北俵口乡湿地	503	130.13	39°18′49″	117°34′57″
9	东七里海东齐家埠村湿地	503	145.03	39°18′28″	117°38′24″
10	西七里海水体湿地	503	159.98	39°18′17″	117°31′54″
11	潮白新河	201	173.66	39°18′03″	117°32′53″
12	东七里海水体湿地	301	670.70	39°17′57″	117°35′15″
13	东七里海沼泽湿地	402	871.55	39°17′39″	117°35′18″
14	西七里海沼泽湿地	402	2731.52	39°17′39″	117°30′14″

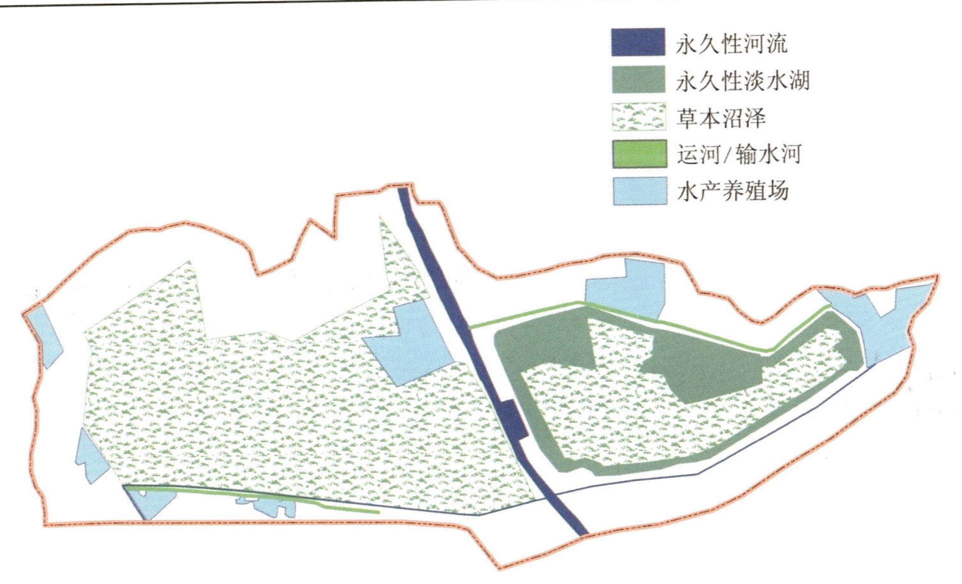

图 5-11　七里海湿地斑块分布图

地理位置：主要位于天津市宁河县，中心坐标为东经 117°32′，北纬 39°17′。

自然环境概况：七里海湿地地处华北平原东北部，海河流域下游，为冲积平原和海积冲积平原。土壤类型为潮土。季节变化明显，介于大陆性气候和海洋性气候的过渡带上，属于暖温带半湿润大陆性季风气候，一年四季分明。年平均气温 12.5℃；年平均降水量 591.7 毫米；年均蒸发量 1531.3 毫米；≥0℃年均积温 4595℃，≥10℃年均积温 4180℃。

水环境状况：七里海湿地的地表水系属于海河水系，流经该湿地的河流主要有潮白新河和津唐运河。补给方式为综合补给，主要靠地表径流和大气降水。季节性有水流出。pH 值为 8.0。营养状况为中营养。水质级别为 Ⅲ 类。

主要动物：七里海湿地有陆生哺乳动物 5 目 7 科 14 种，有鸟类 16 目 43 科 177 种，两栖爬行类 3 目 5 科 9 种，鱼类 5 目 10 科 25 种。

主要植物：七里海湿地有高等植物 69 科 200 属 291 种(包括种以下单位)。其中，裸子植物 4 科 6 属 8 种；被子植物 65 科 194 属 283 种。被子植物中，双子叶植物 55 科 157 属 225 种，单子叶植物 10 科 37 属 58 种。野生植物 36 科 104 属 164 种，栽培植物 51 科 105 属 127 种。主要植物为芦苇，低洼区还生长大片的香蒲、水葱、荆三棱、水蓼等挺水植物群落。超过 40 厘米水深的地带，生长着藻类和荇菜等沉水植物群落。2000 多年以前，该地原是若干泻湖和河口，目前还存在大量海洋生物遗迹，世界著名的天津贝壳堤和牡蛎滩就分布于此。

保护管理状况：七里海湿地是天津古海岸与湿地国家级自然保护区的重要组成部分(图 5-12、图 5-13)，该保护区原总面积 97588 公顷，1984 年经天津市人民政府批准建立，1992 年晋升为国家级。保护区分核心区、缓冲区和实验区 3 部分，主要保护对象为贝壳堤、牡蛎滩古海岸遗迹和滨海湿地，对研究海陆变迁和滨海湿地生态系统均具有重要意义。2006 年，天津市海洋局提出了对自然保护区范围进行调整的意见，经过 2 年多的努力，形成了《天津古海岸与湿地国家级自然保护区调整方案》，于 2009 年 9 月 28 日获得国务院批复。由 97588 公顷调整为 35913 公顷，其中核心区面积 4515 公顷、缓冲区面积 4334 公顷、实验区面积 27064 公顷，由牡蛎礁、七里海湿地区域、贝壳堤青坨子区域等 12 块区域组成。

图 **5-12** 七里海湿地景观(一)

图 **5-13** 七里海湿地景观(二)

湿地功能与利用方式：主要利用方式为水产养殖、芦苇生产、提供水资源和调蓄水资源，生态旅游活动刚刚起步。其中，每年的鱼、虾、蟹的产量为 23174 吨，产值达 30575 万元；芦苇每年的产量为 20000 吨，产值为 1120 万元；提供的水资源总量为 8000 万吨；调蓄能力为 7000 万立方米。

受威胁状况：主要威胁因子为基建和非法狩猎。受威胁状况等级为轻度。

土地所有权：集体所有。

湿地主管部门和管理机构：天津市海洋局主管，设有天津古海岸与湿地国家级自然保护区管理处，人员编制 40 人，负责该自然保护区的统一管理。

第二节 湿地生态状况

1 评价方法

湿地生态状况直接反映湿地生态系统的健康水平，也是评价湿地生态功能是否正常发挥和满足人类需要的重要依据。依据本次调查成果数据，综合利用反映湿地生态状况的自然湿地面积、生物多样性、水环境，及湿地利用和受威胁状况等方面指标(表5-11)，对本次重点调查湿地进行了湿地生态状况的综合评价。

表5-11 湿地生态状况指标体系一览表

一 级	二 级	三 级	因 子
自然指标	景观指标	自然湿地率	自然湿地面积/湿地总面积
		湿地密度	平均斑块面积/湿地总面积
		湿地斑块密度	湿地斑块数/湿地总面积
	生物多样性指标	单位面积物种多度	物种数量/湿地面积
		植被覆盖度	植被面积/湿地面积
		外来物种入侵	有、无
	水环境指标	污染物	有、无
		富营养	贫、中、富3级
		水质级别	Ⅰ、Ⅱ、Ⅲ、Ⅳ、Ⅴ5级
社会指标	社会指标	人口密度	人口数量/重点调查面积
		利用情况	工(旅游)、农、水、未4级
	威胁指标	威胁因子数量	数量
		威胁程度	安全、轻、重3级

采用德尔菲法，对评价指标进行分级和赋值，确定指标权重。各指标标准值计算：

自然湿地率、湿地密度、湿地斑块密度、单位面积物种多度、植被覆盖度、人口密度6个指标根据大小分为5级，分别赋值1、3、5、7、9，指标值越高反映的生态状况越好；

外来物种入侵、污染物两个指标，分2个等级，“有”赋值2，“无”赋值8；

营养状况分3级，贫营养赋值8，中营养赋值5，富营养赋值2；

水质级别分5级，分别赋值9、7、5、3、1；

利用情况分4级，工业(旅游)赋值3，农业(种植、牧业、林业)赋值5，水源地赋值7，未利用赋值9；

威胁因子数量，分为10级，采用“10－数量”来赋值；

威胁程度分为3级，安全赋值8，轻度赋值5，重度赋值2。

采用国家林业局确定的指标权重体系表，各指标权重确定见表5-12。

表 5-12 湿地生态状况指标体系权重表

一 级		二 级		三 级	权 重
自然指标	0.6	景观指标	0.10	自然湿地率	0.030
				湿地密度	0.012
				湿地斑块密度	0.018
		生物多样性指标	0.45	单位面积物种多度	0.108
				植物覆盖度	0.108
				外来物种入侵	0.054
		水环境指标	0.45	污染物	0.054
				富营养	0.081
				水质级别	0.135
社会指标	0.4	社会指标	0.40	人口密度	0.064
				利用情况	0.096
		威胁指标	0.60	威胁因子数量	0.084
				威胁程度	0.156

根据统计学累计求和公式，计算每处重点调查湿地生态状况综合得分。

$$\text{综合得分} = \sum \text{指标值} \times \text{指标权重}$$

2 评价结果

根据调查结果，重点调查湿地的生态状况得分见表 5-13。

表 5-13 天津重点调查湿地得分情况

重点调查湿地	得分	生态状况
北大港湿地	7.752	好
团泊洼湿地	6.148	较好
大黄堡湿地	6.856	较好
七里海湿地	6.108	较好

从以上评价结果可以看出，天津市的重要湿地生态状况整体较好，今后应继续增加保护投入，协调保护与发展关系，在社区共建方面深入实践，切实让农民朋友在湿地保护中受益使湿地保护工作有广泛的群众基础和支持，实现可持续发展。

第三节 湿地受威胁状况及原因分析

1 重点湿地受威胁状况

天津市重点调查湿地包括北大港、大黄堡、七里海和团泊洼 4 块，均为天津市级或国家级自然保护区，并设有专门的保护管理机构，采取了较为严格的保护措施。因此，天津市的4块重点调查湿地受威胁状况均为轻度，受到轻度干扰，生境类型没有明显改变，停止干扰后生境状况可较快恢复。

在4块重点调查湿地中，北大港湿地、七里海湿地、团泊洼湿地受到了基建和城市化的威胁，受威胁面积为2560公顷，占所有重点调查湿地总面积的2.91%；北大港湿地有6923公顷的湿地受到了围垦的威胁，占所有重点调查总面积的7.86%；七里海岸湿地和大黄堡湿地受到了非法狩猎的威胁，受威胁面积为4200公顷，占所有重点调查湿地总面积的4.77%；团泊洼湿地有30公顷受到了污染的威胁，占所有重点调查湿地总面积的0.03%(表5-14)。

表5-14　天津重点调查湿地受威胁状况统计表

威胁因子	影响面积(公顷)	受威胁重点调查湿地	所占比例(%)
基建和城市化	2560	北大港、七里海、团泊洼	2.91
围　垦	6923	北大港	7.86
污　染	30	团泊洼	0.03
非法狩猎	4200	七里海和大黄堡	4.77

2　湿地退化的原因分析

2.1　对湿地和湿地保护的认识水平普遍较低

根据联合国千年生态评估结论，湿地退化和丧失速度超过其他类型生态系统，湿地中物种的生存状况也比其他生态系统中的物种更加恶化。

造成这种状况的原因主要是人们对湿地生态系统的认识时间短、认知程度浅，湿地保护依然缺乏全社会的认同与支持。在有限的国土开发空间格局中，湿地多被定义为“荒滩”“荒水”，在现行土地分类中被列入“未利用地”，从而在土地利用方式的竞争中始终处于劣势的地位。同时，在天津市因上游来水少、自然降水少、水体流动性差、富营养化比较严重等原因，虽然第二次湿地资源调查成果表明天津市湿地面积并未减少，但天然湿地的减少和退化，湿地效益和功能的下降较为明显。

由于湿地保护尚未出台国家层面的行政法规，缺乏有效管理机制。湿地保护是个系统工程，流域性强，涉及的部门多、内容多，协调难度大，因此很难从根本上遏制上述局面。

2.2　湿地上游来水量急剧减少

20世纪初，天津的自然景观是水域连片、河流纵横、湖泊坑塘星罗棋布。按地域分布，当时天津湿地的分布特点大体上以海河为界，分为南北两大部分，北部湿地面积较小，分布着里自沽洼、黄庄洼、大黄堡洼、七里海湿地等，南部湿地面积大而广阔。到20世纪50年代以前，天津的湿地面积约53万公顷，占天津总面积的45%。近百年来，天津地区的降水量呈不断减少的趋势。特别是20世纪后50年，降水量减少的态势更为明显，50年来年降水量减少了200多毫米。同时随着全球气候的变暖，年平均气温的不断升高，天津的年平均气温也处在缓慢上升阶段，

1949 ~2008 年，天津年平均气温升高了 1℃多。降水量减少，气温升高，无疑使地表蒸发量增大，自然界水量的减少对湿地存在构成严重威胁。以上原因加上其他的人为原因导致天津湿地面积迅速减少，大片湿地干涸。如 1960 年，天津大洼－里自沽湿地干涸；1963 年，天津贾口洼湿地干涸；1965 年，天津黄庄洼湿地干涸；1966 年，天津北大港、七里海、团泊洼湿地干涸；1968 年，天津大黄堡洼湿地干涸；1969 年，天津东淀湿地干涸。

2.3 湿地污染不断加剧

湿地污染主要是水污染。天津市人民政府对于环境保护工作十分重视，在全面加强水环境监测和水污染治理方面，取得了显著成就。但水污染仍然是威胁和影响湿地质量的重要原因。除引滦水质保护良好状况外，全市的河流、湖泊、近海水域均不同程度地受到污染。主要污染物有：氯化物、总硬度、石油类、生化需氧量、高锰酸盐和氨氮等。同时由于城乡基础设施极度滞后，不少地区排水不畅、清污不分，湿地干涸和水量剧减，水体污染物沉积土表和浅层地下水，加之农业使用污水量 3.3 亿～4 亿立方米，因此有 18 条河流有严重程度的污染，水质已呈现富营养化状态。监测的 18 条河流中，有 14 条氯化物超标。渤海海面近年不断发生赤潮(达 2000 ~5000 平方公里)，海河成为我国严重污染的三大河流(辽河、海河、淮河)之一。

2.4 部分湿地开发利用程度较大

湿地蕴含有丰富的自然资源，发挥着重要的直接价值和间接价值。人类从湿地获得大量的衣、食、住、行用的原材料。此外，人类依赖湿地的保持水土、调节气候、观赏娱乐等价值，并从中获得可观的利益。人为因素的影响是天津湿地减少的主要原因。天津湿地面积的减少分为两个不同阶段。第一阶段是 20 世纪初至 70 年代末，此阶段湿地减少的原因是以淤积造田、挖渠引水入海和海河流域上游大范围兴修水库所致。第二阶段是近 20 年，湿地减少的主要原因：一是城市地域的扩展、工矿业及农业等经济高速发展对湿地的大量占用；二是人口骤增、经济发展使城市对水资源的需求急剧加大；三是水资源缺乏、河流断流、地下水的过量开采等使湿地的补给受阻，湿地逐渐干涸；四是湿地在生态、经济、科研、教育、文化、美学、旅游等方面有着重要价值，然而由于对湿地保护认知不够、人为不当活动使天津市湿地面积减少，生产力和生态功能降低。

在湿地的开发利用中，经常容易打破经济价值、社会价值、生态价值的平衡，过于追求其经济价值从而忽视了自然生态保护。过度的人类活动严重扰乱了野生动植物的生存状况，使得野生动植物的分布区萎缩、种群数量下降、生长受阻、繁殖成功率降低，从而进一步降低群落和生态系统的完整性和稳定性，影响生态系统服务和功能的正常发挥。此外，由于开发和建设项目的推进，湿地自然保护区不得不进行功能分区的调整以适应其需求，从而导致湿地保护区面积萎缩、破碎化或连通性降低，保育和恢复功能下降。

2.5 湿地研究起步晚水平低

虽然人们对湿地生态系统功能的认识逐步深化，但由于我国湿地保护起步较晚，至今仅 10 年左右的时间。因此湿地的基础研究还比较薄弱，科学支撑体系尚未完全建立，湿地生态系统的功能与作用缺乏量化研究。同时，林业系统大专院校中大部分未设立湿地相关专业，天津市进行湿地研究的专业人员更是匮乏。科研力量的薄弱，使湿地保护缺乏有效说服力，更多的流于形式和表面，阻碍了湿地保护的进程。

2.6 湿地保护投入较少

目前天津市已建立4个湿地类型自然保护区，全部覆盖了天津市城市总体规划中的南北两片湿地生态保护区。但是长期以来，一方面保护区机构不健全，管理人员专业知识匮乏，管理能力弱，大部分保护区都存在缺乏长远规划和发展长效机制等问题；另一方面虽然地方政府对保护区的保护工作越来越重视，但还缺乏相应的投入和保障，很难吸引专业人才和管理人才到保护区工作。

2.7 湿地生态修复和恢复领域有待规范

湿地生态恢复，是指采用生物、生态及工程技术，逐步恢复退化湿地生态系统的结构和功能至最初的状态，最终达到湿地生态系统的自我持续状态；湿地生态修复更多的是指针对受损的湿地生态系统内部各组成要素(如水体、土壤、植被等)，采取生物的、化学的或物理的手段消除污染、降低破坏，从而发挥其正常功能，不强调恢复到最初的状态。天津的部分受损湿地也开展了一些生态修复或恢复的工程项目。但各单位各部门目前对生态修复和恢复的内涵理解参差不齐，因此采取的措施也缺乏科学性、全局性，往往造成“好心办了坏事情”的局面。

第六章 湿地保护与管理

第一节 湿地保护管理现状

1 建章立制，保护湿地资源

在天津市委、市政府的高度重视下，2014 年，《天津市湿地保护条例》纳入市人大争取审议项目。除此之外，2014 年，天津市修订出台的《天津市绿化条例》增加了湿地保护方面内容；市人大审议通过的《关于批准划定永久性保护生态区域的决定》将占天津市国土面积 12% 以上的河流、水库、湿地保护区、洼淀、盐田等湿地纳入生态用地保护红线予以保护。

近年来，天津市已建立的与湿地保护有关的法规和规章还有：《天津市人民政府关于保护鸟类的布告》《天津市野生动物保护条例》《天津市海洋保护法实施办法》《天津古海岸与湿地国家级自然保护区管理办法》《天津市林业局关于发布陆生野生动物禁猎区、禁猎期的通告》等。

2 建立湿地自然保护区和湿地公园

天津市湿地保护起步于 20 世纪 80 年代初期，30 多年来，在市委、市政府的领导和国家有关部门的指导下，天津市相继建立了不同级别、不同类型的 4 个湿地自然保护区，总面积 88040 公顷。开展国家湿地公园试点建设 2 处，分别为天津武清永定河故道国家湿地公园、天津宝坻潮白河国家湿地公园，总面积 5875. 9 公顷。初步形成天津市湿地保护体系。与此同时，近年来，天津市不断加大对湿地的保护和修复工作，加强对湿地自然保护区的基础设施、科研宣教、保护工程建设，不断提升保护区的管护能力。并在于桥水库等重要湿地开展湿地恢复工程。

3 开展郊野公园建设

根据市政府批准的最新《天津市造林绿化规划》，到 2015 年，天津市环城四区将建成 7 座郊野公园。2014 年，北辰、东丽、西青、官港 4 个郊野公园一期工程已经完成并投入使用，津南和滨海新区的 3 个郊野公园正在建设过程中。湿地景观和湿地涵养将成为郊野公园的重要组成部分和重要建设内容，郊野公园的建立将极大促进天津市湿地保护工作。

4 加强湿地水资源管理

天津市地域小，人口多，人口密度大(822 人/平方公里)，又是工商业十分发达的大城市，作为湿地主要标志的水资源，其数量和质量便成为城市存在和发展的生命线。一是充分发挥现有湿地的蓄水功能，采取拦洪蓄水、滞洪排涝、引滦入津等措施，千方百计增加湿地的水资源；二是制定污水排放标准，建立大型污水处理厂，控制污水排放量，减少对湿地的污染。

5 加强机构建设

2007 年 4 月，经市编办批准建立了天津市野生动植物保护管理站，并加挂天津市湿地保护管理站的牌子，建立了湿地保护管理工作队伍，为今后的工作和法律法规的贯彻实施奠定了基础。2013 ~ 2014 年，滨海新区、蓟县相继建立了野生动植物和湿地保护专职管理机构。

6 开展湿地资源本底调查

2009 年，按照国家林业局安排部署，天津市启动了第二次湿地资源调查工作，运用“3S”技术基本摸清了全市湿地资源本底情况。2014 年，天津市林业局与清华大学合作开展了全市湿地资源监测，基本摸清了 5 年来湿地变化情况。以上工作为今后科学和规范化管理以及制定地方法规提供了科学依据。

2011 ~ 2014 年，天津市林业局与北京师范大学、天津师范大学合作开展了北大港、七里海、大黄堡等重要湿地野生动物资源专项调查，摸清了野生动物资源底数，为科学管理提供了依据。

7 开展湿地保护宣传

多年来，天津市林业局不断加强湿地保护宣传工作。在每年一次的爱鸟周宣传活动中，通过制作宣传展牌，带领中小学生和爱心人士到于桥水库、北大港水库、黄港水库、大黄堡湿地等进行观鸟、放飞救护鸟类、湿地清网等活动，同时通过媒体进行宣传，极大地提高了全社会对湿地价值的认识和保护意识。2014 年，“爱鸟周”的活动主题是“关爱候鸟，共建美丽天津”，活动中采取市区、滨海新区、宁河县、蓟县四区联动的方式开展了宣传活动。活动内容包括万人签名，厨师宣誓并号召大家拒烹野生动物，以及向广大市民发放了湿地资源现状、湿地作为鸟类栖息地重要作用、环保宣传袋等宣传品，得到市民的热烈响应，起到良好的宣传效果。

8 坚持做好湿地鸟类救护工作

随着公众爱鸟护鸟意识不断增强，野生动物救护与巡护工作已经成为林业部门日常工作中一项非常重要的内容，其中湿地鸟类救护最为常见。2012 年以来，林业部门救护迷途、受伤、滞留湿地鸟类 3000 余只。其中包括国家Ⅰ级保护动物东方白鹳 230 余只，以及国家重点保护动物白鹤、大天鹅、小天鹅、灰鹤等。

9 开展湿地鸟类疫源疫病监测防控工作

为加强对野生动物特别是湿地鸟类疫源疫病监测防控工作，天津市林业局组织各区县陆续建立了15个监测站。自2013年我国部分省市连续发生人感染 H_7N_9 禽流感事件以来，为全面做好全市疫情监测防控工作，维护公共卫生安全，及时启动了野生动物疫源疫病应急预案，在全市野生鸟类野外繁殖地、集群活动区、迁徙停歇地及驯养繁殖场所部署开展全天候野外定点观测、巡护和救护。同时在鸟类迁徙季节进行标本采样送检，有力保障了天津市生态安全。

第二节 湿地保护管理建议

天津市的起源与形成，繁荣与发展，文明与进步，无不与湿地有关，保护湿地就是保护天津特色，就是保护天津生态环境，就是维护了天津经济文化的发展，就会促进天津生态、经济、社会、文明的可持续发展。因此特提出以下湿地保护与管理的几点建议：

1 加快立法进程，制定湿地保护的法律法规

目前，世界上绝大多数国家对湿地保护已经开始法制化。我国的三大生态系统中，森林和海洋均已通过立法得到有效保护，唯独湿地至今没有一部法律可以遵循。湿地保护无法可依是湿地形势严峻的主要原因之一。因此，应加快天津市湿地立法进程，依法保护天津市的湿地资源。

2 加强湿地保护的宣传工作

目前，湿地保护工作的重要性尚未被各级人民政府和广大人民群众所认识，应通过各种方式大力加强宣传工作，提高政府和群众的认识。由湿地管理的组织与协调部门牵头，联合新闻和科普部门开展对保护湿地，保护生态及合理利用湿地资源的重要性、紧迫性、科学性的宣传，提高各级政府、有关部门以及社会和广大群众对湿地功能、价值和效益的认知，强化保护湿地意识和合理利用湿地理念，形成保护湿地的良好氛围。

3 进一步明确职责，强化湿地保护管理

湿地保护是一项跨部门、跨行业、跨地区的综合性系统工程，该项管理工作涉及林业、国土资源、规划、环保、水务、海洋、农业等有关单位。国务院明确了国家林业局“组织、协调、指导、监督全国湿地保护和有关国际公约的履约工作”的工作职能。但在实际工作中，由于湿地的权属非常分散，再加上保护与利用的矛盾十分突出，很难实施有效管理。因此，国家应进一步明确林业系统的工作职责，并建立统一的保护管理机构，增加资金投入，全面强化湿地保护和管理水平。同时，建立政府主管部门—科研机构—社会团体的沟通与合作机制，依靠科研机构和社会团体的力量，广泛开展湿地生态系统与湿地生物多样性研究、监测、科普、宣教等工作。

4 严防湿地污染，保障湿地水源质量

对排污的途径、种类、范围、数量进行限制。设法为芦苇、香蒲等植被创造生存条件，以发挥其良好的解毒降污作用。加大行政、经济、法律的处罚力度，实现清洁生产工艺。各区县及有关重点乡镇要建办污水处理厂。尽快推广和应用自然能(太阳能、风能、潮汐能)的“绿色”能源。以减少化学、物理、机械能的污染，确保湿地价值和对人民生活生产的良好作用。

5 集约使用水资源

要减少上游不合理拦截客水的建设，避免对下游湿地造成破坏和影响。同时应合理调配和利用水资源，要尽量为库泊和河流湿地留有一定的生态水，使水库变成生态、经济、生活型水库，把湿地生态用水纳入计划统筹安排。同时，要加强水利设施和疏竣、浇灌工程建设，掌握好雨季的有利时机，设法将地表径流引入库区湿地，以增加湿地生态水功能。

6 根据湿地类型不同，实行分类保护

按湿地类型的特色进行生物工程建设和湿地保护。具体可分类实施：

(1)河流湿地：如独流减河、马厂碱河、蓟运河等市一级河道堤坝的沿岸生物措施，主要是营造林带固堤，起绿色导流、净化水体的作用。一般应营造根系发达、耐盐碱、耐水湿、抗旱、抗风、少病虫害的乔灌木。实行针阔混交，招引鸟类，达到生态与景观兼备的生物设施。

(2)库区湖泊湿地：设法引水入库，保留生态用水，应因地制宜，实行不同的生物措施。在山区的湖泊湿地，如于桥水库湿地主要营造上游和周边地区水土保持林、防风固沙林、经济林以及在库区周边栽植芦苇、香蒲、荷花等湿地植物，起防治水土冲刷、防止泥沙入库、涵养水源、净化水质的作用；在平原湖泊湿地努力种植5层立体仿天然森林生态环境的植被结构，主要起防风、防洪、少病虫危害及招引攀禽、鸣禽、猛禽等陆生鸟类的栖息，以保护库区湖泊的生态环境。

(3)滩涂和河口湿地：如大港、塘沽区的大量滩涂和河口地段，主要采取工程导流、引道疏竣等定向入海的工程措施，达到滩涂河口畅，下游流水顺，全局水域稳，防污、防富养化、防赤潮的作用。其生物措施是保留和培育如柽柳、碱蓬、芦苇等植物，设法营造海防林，以招引国际间飞迁涉禽的栖息，提高其生态与社会利用的价值。

(4)沼泽湿地：如宁河七里海、塘沽、大港、汉沽等沼泽地，生物措施主要是发展沼泽地芦苇、香蒲、莎草和盐生植物，发挥其四防(防涝、防洪、防污、防旱)三有(有减污、减毒、净化水体，有调节气候，有发展经济)的作用和效益。

(5)对于鸟类集中的区域，实行有区别的保护：①对于拥有大量重要水鸟栖息的湿地自然保护区，建议争取参评“国际重要湿地”或升级为国家级自然保护区；②对于为大量水鸟栖息、停留提供栖息地的沿海滩涂，建议设立保留区，为水鸟留下栖息和觅食的空间；③对于大量水鸟(尤其是鹭类)繁殖的区域(如潮白新河－青龙湾河鹭林)，建议设立鸟类保护小区；④对于作为水鸟栖息、觅食重要地区、但现已受到过度干扰和破坏的湿地保护区，建议采取适当的湿地生态恢复措施，恢复适于鸟类栖息、觅食的环境。

7 建立生态补偿机制

7.1 建立补偿机制的必要性

(1)保护压力不断加大。天津市已建的七里海、大黄堡等湿地类型自然保护区，其保护区特别是核心区内土地资源以农村集体土地为主，保护区的建立在一定程度上影响了土地所有者的收益，因此老百姓毁苇养鱼、种棉的呼声不断，甚至不惜触碰法律法规底线，急需采取有效措施加强管理。

(2)区域发展不平衡，地方政府压力过大。重要湿地一般分布在较偏远的农业区县，除个别区县外经济发展较市内六区和环城四区有较大差距。现有的考核体系给地方政府造成很大的压力，有的地区不得不向湿地要效益，保护上始终处于被动局面。

(3)工程征占用湿地的生态补偿措施难以落实到位。随着经济社会的快速发展，交通、通讯、电力、管道铺设等工程征占用湿地情况日益增多。许多项目虽然在环境影响评价中都涉及到了对所占用湿地的保护与恢复等措施，但保护与恢复资金所占比例极低，且经常得不到落实，造成征占用现象越来越普遍。

7.2 建立湿地生态补偿机制的原则

通过让保护者得到应有的经济激励，受益者有偿使用生态资源达到调整相关利益各方的分配关系，促进城乡间、地区间和群体间的公平性和社会的协调发展。

7.3 具体措施

(1)财政补偿政策：

对土地权益人进行补偿。全面摸清天津市重要湿地(湿地保护区及湿地公园)中农村集体所有土地面积，根据湿地不同类型和用途，制定生态补偿措施，激发土地权益人保护湿地的积极性和主动性。

地方财政转移支付。原则上由没有重要湿地的区县每年按照可支配财政收入的一定比例向有重要湿地的区县进行财政转移支付。财政转移支付款项由市财政局按照市林业行政主管部门的评估意见进行合理分配。

(2)征占用者补偿政策：经有关部门批准确需征占用天津市重要湿地的，规划行政主管部门审批前，需由市林业行政主管部门组织专家进行评估，按照工程对湿地影响的程度和范围以及土方量等估算影响面积和保护与恢复所需的资金，依此进行生态补偿。补偿款上缴市财政后，规划行政主管部门才能进行审批。补偿款在全市湿地保护中统筹使用。

8 合理开发利用湿地

积极科学地发展湿地旅游与养殖、种植业，在不影响鸟类生息、不污染湿地、不破坏湿地生态环境的前提下积极开发湿地多项目旅游资源。进一步提高北大港、团泊、东丽湖、于桥、七里海、黄港及塘沽滨海等湿地的旅游、休闲、度假、科普、文化、教育、美学等方面的活动质量。

实行分类、分层科学养殖、种植，以促进湿地经济多层次、多角度、多方位发展。因此，保护与利用是有机性、科学性、互促性、循环性的关系。

9　积极实施恢复湿地工程

结合全国湿地保护工程建设，尽快实施天津湿地保护与恢复工程建设，并给予必要的资金投入，实行多层次、多形式、多渠道筹建资金。建议各有关部门将恢复与保护湿地的资金列入基本建设与财政计划。同时，建立湿地网络机制，加强环渤海省份(河北、辽宁、山东、天津等)的联系、协作和湿地研究工作，实行大区域性湿地恢复工程。

附录1　天津湿地调查区域植物名录

序号	科	属	种	
			中文名	拉丁名
(一)裸子植物				
1	苏铁科	苏铁属	苏铁	*Cycas revolute*
2	银杏科	银杏属	银杏	*Ginkgo biloba*
3	松科	松属	白皮松	*Pinus bungeana*
4			油松	*Pinus tabulaeformis*
5		雪松属	雪松	*Cedrus deodara*
6		云杉属	青杄云杉	*Picea wilsonii*
7	柏科	圆柏属	龙柏	*Sabina chinensis*
8			铺地柏	*Sabina procumbens*
(二)被子植物				
1	胡桃科	胡桃属	胡桃	*Juglans regia*
2	杨柳科	柳属	旱柳	*Salix matsudana*
3		杨属	加拿大杨	*Populus* × *canadensis*
4			毛白杨	*Populus tomentosa*
5			速生杨	*Populus nigra*
6	榆科	榆属	金叶榆	*Ulmus pumila* ‘Jinye’
7			榆树	*Ulmus pumila*
8	桑科	葎草属	葎草	*Humulus scandens*
9		榕属	小叶榕	*Ficus parvifolia*
10		桑属	桑树	*Morus alba*
11	蓼科	蓼属	红蓼	*Polygonum orientale*
12			萹蓄	*Polygonum aviculare*
13			酸模叶蓼	*Polygonum lapathifolium*
14			水蓼	*Polygonum hydropiper*
15			绵毛酸模叶蓼	*Polygonum lapathifolium* var. *salicifolium*
16		酸模属	巴天酸模	*Rumex patientia*
17			齿果酸模	*Rumex dentatus*
18			锐齿酸模	*Rumex hadroocarpus*
19	紫茉莉科	叶子花属	叶子花	*Bougainvillea spectabilis*
20		紫茉莉属	紫茉莉	*Mirabilis jalapa*
21	马齿苋科	马齿苋属	马齿苋	*Portulaca oleracea*
22			大花马齿苋	*Portulaca grandiflora*
23	石竹科	拟漆姑属	拟漆姑	*Spergularia marina*
24		石竹属	香石竹	*Dianthus caryophyllus*

（续）

序号	科	属	种	
			中文名	拉丁名
25	藜科	滨藜属	滨藜	*Atriplex patens*
26			中亚滨藜	*Atriplex centralasiatica*
27		地肤属	地肤	*Kochia scoparia*
28			扫帚菜	*Kochia scoparia* f. *trichophylla*
29		碱蓬属	碱蓬	*Suaeda glauca*
30			盐地碱蓬	*Suaeda salsa*
31		藜属	东亚市藜	*Chenopodium urbicum* subsp. *sinicum*
32			灰绿藜	*Chenopodium glaucum*
33			藜	*Chenopodium album*
34			小藜	*Chenopodium serotinum*
35		猪毛菜属	猪毛菜	*Salsola collina*
36	苋科	千日红属	千日红	*Gomphrena globosa*
37		青葙属	鸡冠花	*Celosia cristata*
38		苋属	长芒苋	*Amaranthus palmeri*
39			苋	*Amaranthus tricolor*
40			腋花苋	*Amaranthus roxburghianus*
41			繁穗苋	*Amaranthus paniculatus*
42			凹头苋	*Amaranthus lividus*
43			反枝苋	*Amaranthus retroflexus*
44			皱果苋	*Amaranthus viridis*
45	睡莲科	睡莲属	睡莲	*Nymphaea tetragona*
46	金鱼藻科	金鱼藻属	金鱼藻	*Ceratophyllum demersum*
47	白花菜科	白花菜属	醉蝶花	*Cleome spinosa*
48	十字花科	播娘蒿属	播娘蒿	*Descurainia sophia*
49		匙荠属	匙荠	*Bunias cochlearioides*
50		独行菜属	独行菜	*Lepidium apetalum*
51			宽叶独行菜	*Lepidium latifolium*
52		蔊菜属	蔊菜	*Rorippa indica*
53			球果蔊菜	*Rorippa globosa*
54			沼生蔊菜	*Rorippa islandica*
55		荠属	荠	*Capsella bursa-pastoris*
56		芸薹属	白菜	*Brassica pekinensis*
57	景天科	八宝属	八宝	*Hylotelephium erythrostictum*
58		伽蓝菜属	长寿花	*Kalanchoe blossfeldiana*
59		景天属	费菜	*Sedum aizoon*
60	虎耳草科	茶藨子属	香茶藨子	*Ribes odoratum*
61	蔷薇科	李属	紫叶矮樱	*Prunus* × *cistena*
62			紫叶李	*Prunus cerasifera* f. *atropurpurea*
63		苹果属	西府海棠	*Malus micromalus*
64			苹果	*Malus pumila*
65		蔷薇属	黄刺玫	*Rosa xanthina*
66			玫瑰	*Rosa rugosa*
67			月季	*Rosa chinensis*

（续）

序号	科	属	种	
			中文名	拉丁名
68	蔷薇科	桃属	碧桃	*Amygdalus persica* ‘Duplex’
69			桃树	*Amygdalus persica*
70			榆叶梅	*Amygdalus triloba*
71		委陵菜属	朝天委陵菜	*Potentilla supina*
72		樱属	日本晚樱	*Cerasus serrulata* var. *lannesiana*
73	豆科	扁豆属	扁豆	*Lablab purpureus*
74		菜豆属	菜豆	*Phaseolus vulgaris*
75		草木犀属	草木犀	*Melilotus officinalis*
76		车轴草属	白车轴草	*Trifolium repens*
77		刺槐属	刺槐	*Robinia pseudoacacia*
78		大豆属	野大豆	*Glycine soja*
79			大豆	*Glycine max*
80		合欢属	合欢	*Albizia julibrissin*
81		合萌属	合萌	*Aeschynomene indica*
82		胡枝子属	达乌里胡枝子	*Lespedeza daurica*
83		槐属	槐	*Sophora japonica*
84		黄耆属	糙叶黄耆	*Astragalus scaberrimus*
85		鸡眼草属	长萼鸡眼草	*Kummerowia stipulacea*
86		豇豆属	绿豆	*Vigna radiata*
87		决明属	决明	*Cassia tora*
88		米口袋属	狭叶米口袋	*Gueldenstaedtia stenophylla*
89		豌豆属	豌豆	*Pisum sativum*
90		紫穗槐属	紫穗槐	*Amorpha fruticosa*
91	酢浆草科	酢浆草属	酢浆草	*Oxalis corniculata*
92	牻牛儿苗科	牻牛儿苗属	牻牛儿苗	*Erodium stephanianum*
93	蒺藜科	蒺藜属	蒺藜	*Tribulus terrester*
94	大戟科	大戟属	地锦草	*Euphorbia humifusa*
95			斑地锦	*Euphorbia maculata*
96		铁苋菜属	铁苋菜	*Acalypha australis*
97	芸香科	花椒属	花椒	*Zanthoxylum bungeanum*
98	苦木科	臭椿属	臭椿	*Ailanthus altissima*
99	楝科	香椿属	香椿	*Toona sinensis*
100	漆树科	黄栌属	黄栌	*Cotinus coggygria*
101		盐肤木属	火炬树	*Rhus typhina*
102	槭树科	槭属	梣叶槭	*Acer negundo*
103	无患子科	倒地铃属	风船葛	*Cardiospermum halicacabum*
104		栾树属	栾树	*Koelreuteria paniculata*
105	黄杨科	黄杨属	大叶黄杨	*Buxus megistophylla*
106	鼠李科	枣属	酸枣	*Ziziphus jujuba* var. *spinosa*
107			枣树	*Ziziphus jujuba*

（续）

序号	科	属	种	
			中文名	拉丁名
108	葡萄科	地锦属	五叶地锦	*Parthenocissus quinquefolia*
109		葡萄属	葡萄	*Vitis vinifera*
110	锦葵科	锦葵属	大花秋葵	*Hibiscus grandiflorus*
111		棉属	陆地棉	*Gossypium hirsutum*
112		木槿属	野西瓜苗	*Hibiscus trionum*
113			木槿	*Hibiscus syriacus*
114		苘麻属	苘麻	*Abutilon theophrasti*
115		蜀葵属	蜀葵	*Althaea rosea*
116	堇菜科	堇菜属	早开堇菜	*Viola prionantha*
117	柽柳科	柽柳属	柽柳	*Tamarix chinensis*
118	秋海棠科	秋海棠属	四季海棠	*Begonia semperflorens*
119	葫芦科	盒子草属	盒子草	*Actinostemma tenerum*
120		葫芦属	葫芦	*Lagenaria siceraria*
121		黄瓜属	马泡瓜	*Cucumis melo* var. *agrestis*
122			香瓜	*Cucumis melo*
123		南瓜属	西葫芦	*Cucurbita pepo*
124		丝瓜属	棱角丝瓜	*Luffa acutangula*
125			丝瓜	*Luffa aegyptiaca*
126		西瓜属	西瓜	*Citrullus lanatus*
127	千屈菜科	千屈菜属	千屈菜	*Lythrum salicaria*
128		紫薇属	紫薇	*Lagerstroemia indica*
129	石榴科	石榴属	石榴	*Punica granatum*
130	伞形科	蛇床属	蛇床	*Cnidium monnieri*
131	柿树科	柿属	君迁子	*Diospyros lotus*
132			柿树	*Diospyros kaki*
133	木犀科	梣属	白蜡	*Fraxinus chinensis*
134			美国红梣	*Fraxinus pennsylvanica*
135		丁香属	紫丁香	*Syringa oblata*
136		女贞属	金叶女贞	*Ligustrum* × *vicaryi*
137	马前科	灰莉属	非洲茉莉	*Fagraea ceilanica*
138	夹竹桃科	罗布麻属	罗布麻	*Apocynum venetum*
139	萝藦科	鹅绒藤属	地梢瓜	*Cynanchum thesioides*
140			鹅绒藤	*Cynanchum chinense*
141		萝藦属	萝藦	*Metaplexis japonica*
142	茜草科	茜草属	茜草	*Rubia cordifolia*
143	旋花科	打碗花属	宽叶打碗花	*Calystegia sepium*
144			打碗花	*Calystegia hederacea*
145			藤长苗	*Calystegia pellita*
146		番薯属	瘤梗甘薯	*Ipomoea lacunosa*
147			金叶薯	*Ipomoea batatas* ‘Tainon No. 62’

（续）

序号	科	属	种	
			中文名	拉丁名
148	旋花科	茑萝属	茑萝松	*Quamoclit pennata*
149		牵牛属	牵牛	*Pharbitis nil*
150			圆叶牵牛	*Pharbitis purpurea*
151		菟丝子属	菟丝子	*Cuscuta chinensis*
152			金灯藤	*Cuscuta japonica*
153		旋花属	田旋花	*Convolvulus arvensis*
154	紫草科	斑种草属	斑种草	*Borhriospermum chinense*
155		附地菜属	附地菜	*Trigonotis peduncularis*
156		砂引草属	砂引草	*Messerschmidia sibirica*
157	唇形科	薄荷属	薄荷	*Mentha haplocalyx*
158		地笋属	地笋	*Lycopus lucidus*
159		假龙头花属	随意草	*Physostegia virginiana*
160		鼠尾草属	荔枝草	*Salvia plebeia*
161			蓝花鼠尾草	*Salvia farinacea*
162			一串红	*Salvia splendens*
163		益母草属	錾菜	*Leonurus pseudomacranthus*
164			益母草	*Leonurus artemisia*
165	茄科	碧冬茄属	碧冬茄	*Petunia hybrida*
166		枸杞属	枸杞	*Lycium chinense*
167		辣椒属	辣椒	*Capsicum annuum*
168		曼陀罗属	曼陀罗	*Datura stramonium*
169		茄属	龙葵	*Solanum nigrum*
170		酸浆属	小酸浆	*Physalis minima*
171		西红柿属	西红柿	*Lycopersicon esculentum*
172		烟草属	烟草	*Nicotiana tabacum*
173	玄参科	地黄属	地黄	*Rehmannia glutinosa*
174		泡桐属	毛泡桐	*Paulownia tomentosa*
175	紫葳科	凌霄属	凌霄	*Campsis grandiflora*
176	胡麻科	胡麻属	芝麻	*Sesamum indicum*
177	车前科	车前属	车前	*Plantago asiatica*
178	忍冬科	忍冬属	金银花	*Lonicera japonica*
179			金银忍冬	*Lonicera maackii*
180	菊科	白酒草属	小白酒草(小蓬草)	*Conyza canadensis*
181		百日菊属	百日菊	*Zinnia elegans*
182		苍耳属	苍耳	*Xanthium sibiricum*
183		大丽花属	大丽花	*Dahlia pinnata*
184		狗娃花属	阿尔泰狗娃花	*Heteropappus altaicus*
185			狗娃花	*Heteropappus hispidus*
186		鬼针草属	狼耙草	*Bidens tripartita*
187			金盏银盘	*Bidens biternata*

（续）

序号	科	属	种	
			中文名	拉丁名
188	菊科	鬼针草属	鬼针草	*Bidens pilosa*
189		蒿属	黄花蒿	*Artemisia annua*
190			碱蒿	*Artemisia anethifolia*
191			蒌蒿	*Artemisia selengensis*
192			柳叶蒿	*Artemisia integrifolia*
193			蒙古蒿	*Artemisia mongolica*
194			莳萝蒿	*Artemisia anethoides*
195			野艾蒿	*Artemisia lavandulaefolia*
196			茵陈蒿	*Artemisia capillaris*
197			猪毛蒿	*Artemisia scoparia*
198			艾	*Artemisia argyi*
199		蓟属	刺儿菜	*Cirsium segetum*
200			大刺儿菜	*Cirsium setosum*
201		碱菀属	碱菀	*Tripolium vulgare*
202		金鸡菊属	金鸡菊	*Coreopsis drummondii*
203		苦苣菜属	苣荬菜	*Sonchus arvensis*
204			苦苣菜	*Sonchus oleraceus*
205		苦荬菜属	苦荬菜	*Ixeris polycephala*
206		鳢肠属	鳢肠	*Eclipta prostrata*
207		美兰菊属	黄帝菊	*Melampodium divaricatum*
208		泥胡菜属	泥胡菜	*Hemistepta lyrata*
209		蒲公英属	碱地蒲公英	*Taraxacum sinicum*
210			蒲公英	*Taraxacum mongolicum*
211		秋英属	黄秋英	*Cosmos sulphureus*
212			秋英	*Cosmos bipinnata*
213		乳苣属	乳苣	*Mulgedium tataricum*
214		松果菊属	松果菊	*Echinacea purpurea*
215		天人菊属	宿根天人菊	*Gaillardia aristata*
216		万寿菊属	孔雀草	*Tagetes patula*
217			万寿菊	*Tagetes erecta*
218		莴苣属	翅果菊	*Lactuca indica*
219		向日葵属	菊芋	*Helianthus tuberosus*
220			向日葵	*Helianthus annuus*
221		小苦荬属	中华小苦荬	*Ixeridium chinense*
222		旋覆花属	欧亚旋覆花	*Inula britannica*
223			旋覆花	*Inula japonica*
224		勋章菊属	勋章菊	*Gazania rigens*
225		紫菀属	荷兰菊	*Aster novi-belgii*
226	百合科	葱属	葱	*Allium fistulosum*
227			韭菜	*Allium tuberosum*

（续）

序号	科	属	种	
			中文名	拉丁名
228	百合科	萱草属	萱草	*Hemerocallis flava*
229		玉簪属	玉簪	*Hosta plantaginea*
230	龙舌兰科	丝兰属	凤尾丝兰	*Yucca gloriosa*
231	鸢尾科	鸢尾属	黄花鸢尾	*Iris wilsonii*
232			鸢尾	*Iris tectorum*
233			马蔺	*Iris lactea*
234	鸭跖草科	鸭跖草属	饭包草	*Commelina bengalensis*
235			鸭跖草	*Commelina communis*
236	禾本科	白茅属	白茅	*Imperata cylindrica*
237		稗属	无芒稗	*Echinochloa crusgalli* var. *mitis*
238			西来稗	*Echinochloa crusgalli* var. *zelayensis*
239			稗	*Echinochloa crusgalli*
240			长芒稗	*Echinochloa caudata*
241		䅟属	牛筋草	*Eleusine indica*
242		稻属	稻	*Oryza sativa*
243		鹅观草属	纤毛鹅观草	*Roegneria ciliaris*
244		高粱属	高粱	*Sorghum bicolor*
245		狗尾草属	狗尾草	*Setaria viridis*
246			金色狗尾草	*Setaria glauca*
247		黑麦草属	黑麦草	*Lolium perenne*
248		虎尾草属	虎尾草	*Chloris virgata*
249		画眉草属	画眉草	*Eragrostis pilosa*
250			小画眉草	*Eragrostis minor*
251		碱茅属	碱茅	*Puccinellia distans*
252		看麦娘属	看麦娘	*Alopecurus aequalis*
253		孔颖草属	白羊草	*Bothriochloa ischcemum*
254		赖草属	羊草	*Leymus chinensis*
255		芦苇属	芦苇	*Phragmites australis*
256		马唐属	马唐	*Digitaria sanguinalis*
257			升马唐	*Digitaria ciliaris*
258			紫马唐	*Digitaria violascens*
259		芒属	荻	*Miscanthus sacchariflorus*
260		牛鞭草属	牛鞭草	*Hemarthria altissima*
261		黍属	稷	*Panicum miliaceum*
262			旱黍草	*Panicum trypheron*
263		羊茅属	高羊茅	*Festuca elata*
264		隐子草	北京隐子草	*Cleistogenes hancei*
265			宽叶隐子草	*Cleistogenes hackeli* var. *nakai*
266		玉蜀黍属	玉米	*Zea mays*
267		早熟禾属	早熟禾	*Poa annua*

（续）

序号	科	属	种	
			中文名	拉丁名
268	禾本科	獐毛属	獐毛	*Aeluropus sinensis*
269	棕榈科	棕榈属	棕榈	*Trachycarpus fortunei*
270	浮萍科	浮萍属	浮萍	*Lemna minor*
271	香蒲科	香蒲属	拉氏香蒲	*Typha laxmanni*
272			水烛	*Typha angustifolia*
273	莎草科	藨草属	扁秆藨草	*Scirpus compactus*
274			水葱	*Scirpus validus*
275		莎草属	白鳞莎草	*Cyperus nipponicus*
276			扁穗莎草	*Cyperus compressus*
277			褐穗莎草	*Cyperus fuscus*
278			香附子	*Cyperus rotundus*
279			异型莎草	*Cyperus difformis*
280			头状穗莎草	*Cyperus glomeratus*
281		薹草属	披针叶薹草	*Carex lanceolata*
282			细叶薹草	*Carex rigescens*
283	美人蕉科	美人蕉属	美人蕉	*Canna indica*

附录2 天津湿地调查区域动物名录

序号	目	科	种	
			中文名	拉丁名
(一)鱼 类				
1	鼠鲨目	皱唇鲨科	皱唇鲨	*Triakis scyllium*
2	鳐目	鳐科	孔鳐	*Raja porosa*
3	鲱形目	鲱科	鳓鱼	*Ilisha elongata*
4			青鳞鱼	*Harengula zunasi*
5			斑鰶	*Clupanodon punctatus*
6		鳀科	鳀鱼	*Engraulis japonicus*
7			中颌棱鳀	*Thissa mystax*
8			赤鼻棱鳀	*Thrissa kammalensis*
9			黄鲫	*Setipinna taty*
10			凤鲚	*Coilia mystus*
11			刀鲚	*Coilia ectenes*
12	鲑形目	银鱼科	面条银鱼	*Salanx ariakensi*
13			大银鱼	*Pratosalanx hyalocranius*
14		香鱼科	香鱼	*Plecoglossus altivelis*
15	颚针鱼目	颚针鱼科	颚针鱼	*Tylosurus anastomella*
16		鱵科	鱵鱼	*Hyporhamphus sajori*
17	海龙目	海龙科	海龙	*Syngnathus acus*
18			海马	*Hypocampus japonicus*
19	马鲅目	马鲅科	四指马鲅	*Eleutheronema tetradactylum*
20	鲈形目	鮨科	鲈鱼	*Lateolabrax japonicus*
21		天竺鲷科	细条天竺鱼	*Apogonichthys lineatus*
22		鲷科	平鲷	*Rhabdosargus sarba*
23		鲹科	沟鲹	*Atropus atropus*
24			六带鲹	*Caranx sexfasciatus*
25		石首鱼科	黑鳃梅童	*Collichthys niveatus*
26			小黄鱼	*Pseudosciaena polyactis*
27			白姑鱼	*Argyrosomus argentatus*
28			皮氏叫姑鱼	*Johnius belengerii*
29			黄姑鱼	*Nibea albiflora*
30		绵鳚科	方氏云鳚	*Enedrias fangi*
31			绵鳚	*Zoarces elongatus*
32		玉筋鱼科	玉筋鱼	*Ammodytes petsonatus*
33		䲗科	短鳍䲗	*Callionymus kitaharae*

（续）

序号	目	科	种	
			中文名	拉丁名
34	鲈形目	带鱼科	小带鱼	*Eupleurogrammus muticus*
35		鲭科	鲐鱼	*Pneumatophorus japonicus*
36		鲅科	蓝点鲅	*Sawara niphonia*
37		鲳科	银鲳	*Pampus argenteus*
38		刺鳅科	中华刺鳅	*Mastacembelus sinensis*
39		鰕虎鱼科	蝌蚪鰕虎鱼	*Lophiogobius ocellicauda*
40			尖尾鰕虎鱼	*Chaeturichthys stigmatias*
41			钝尖尾鰕虎鱼	*Chaeturichthys hexanema*
42			钟馗鰕虎鱼	*Tridentiger basbatus*
43			义牙鰕虎鱼	*Apocryptodon bleekeri*
44			裸项吻鰕虎鱼	*Rhinogobius gymnauchen*
45			克氏吻鰕虎鱼	*Rhinogobius cliffordpopei*
46			吻鰕虎鱼	*Rhinogobius giurinus*
47			刺鰕虎鱼	*Acanthogobius flavimanus*
48			予尾刺鰕虎鱼	*Acanthogobius*
49			纹缟鰕虎鱼	*Tridentigen trigonocephalus*
50			狼鰕虎鱼	*Odontamblyopus rubicundus*
51			凹鳍孔鰕虎鱼	*Ctenotrypauchen chinensis*
52		塘鳢科	黄鱼	*Hypseleotris swinhonis*
53		弹涂鱼科	弹涂鱼	*Periophthalmus cantonensis*
54		鮨科	鳜鱼	*Siniperca chuatsi*
55		鳢科	乌鳢	*Ophiocephalus argus*
56		攀鲈科	圆尾斗鱼	*Macropodus chinensis*
57		拟雀鲷科	非洲鲫鱼	*Tilapia mossambica*
58	鲉形目	鲬科	鲬	*Platycephalus indicus*
59		杜父鱼科	松江鲈	*Trachidermas fascitus*
60	鲽形目	鳎科	条鳎	*Zebrias zebra*
61		舌鳎科	半滑舌鳎	*Cynoglossus semilaevis*
62			焦氏舌鳎	*Cynoglossus jiyneri*
63			窄体舌鳎	*Cynoglossus gracilis*
64	鲀形目	鳞鲀科	马面鲀	*Cantherines modestus*
65		鲀科	铅点东方鲀	*Fugu alboplumbeus*
66			红鳍东方鲀	*Fugu rubripes*
67			虫纹东方鲀	*Fugu vrmicuiaris*
68			星点东方鲀	*Fugu niphobles*
69			弓斑东方鲀	*Fugu ocellatus*
70	鮟鱇目	鮟鱇科	黄鮟鱇	*Lophius lituion*
71	鳗鲡目	鳗鲡科	鳗鲡	*Anguilla Japonica*
72	鲻形目	鲻科	鲻鱼	*Mugil cephalus*
73			梭鱼	*Liza haematocheila*

（续）

序号	目	科	种	
			中文名	拉丁名
74	鲤形目	胭脂鱼科	胭脂鱼	*Myxocyprinus asiaticus*
75		鲤科	青鱼	*Mylopharyngodon piceus*
76			草鱼	*Ctenopharyngodon idellus*
77			鯮鱼	*Luciobrama macrocephalus*
78			瓦氏雅罗鱼	*Leucicus wullerii*
79			鳡鱼	*Elopichthys bambusa*
80			南方马口鱼	*Opsariichthys uncirostris*
81			鳤鱼	*Ochetobius elongatus*
82			宽鳍鱲	*Zacco platypus*
83			赤眼鳟	*Squaliobarbus curiculus*
84			银似鲚	*Toxabramis argentifer*
85			似鲚鱼	*Toxabramis swinhonis*
86			鳘鲦	*Hemiculuter leuciscuius*
87			贝氏鳘	*Hemiculter bleekeri*
88			银鳔	*Parapelecusargentus*
89			长春鳊	*Parabramis pekinensis*
90			壮体长春鳊	*Parabramis pekinensis*
91			红鳍鲌	*Culter erythropterus*
92			翘嘴红鲌	*Erythroculter ilishaeformis*
93			蒙古红鲌	*Erythroculter mongolicus*
94			青稍红鲌	*Erythroulter dabryiBleeker*
95			三角鲂	*Meyelobrama terminalis*
96			团头鲂	*Meoalobrama amblyceephala*
97			银鲴	*Xenocypris argentea*
98			黄尾密鲴	*Xenocypris divii*
99			细鳞斜颌鲴	*Plagiognathops microlepis*
100			逆鱼	*Acanthobrama simoni*
101			中华鳑鲏	*Rhodeus sinensis*
102			彩石鲋	*Pseudoperilampus light*
103			大鳍刺鳑鲏	*Acanthorhodeus macropterus*
104			兴凯刺鳑鲏	*Acanthorhodeus chankaensis*
105			白河刺鳑鲏	*Acanthorhodeus peihoensis*
106			斑条刺鳑鲏	*Acanthorhodeus taenianalis*
107			花鲴	*Hemibarbus maculatus*
108			麦穗鱼	*Pseudorasbora parva*
109			黑鳍鳈	*Sarcochieilichthys nigripinnis*
110			拟鮈	*Abbottna rivularis*
111			蛇鮈	*Saurogobis dabryi*
112			鲤鱼	*Cyprinus carpio*
113			鲫鱼	*Carassius auratus*
114			鲢鱼	*Hypophthalmichthys molitrix*
115			鳙鱼	*Aristichthys nobilis*
116			泼氏鳅鮀	*Gobiobetia pappenheimi*
117			河北沙鳅	*Botia hopeiensis*
118			花鳅	*Cobitis taenia*
119			泥鳅	*Misgurnus anguillicaudatus*
120			大鳞泥鳅	*Misgurnus mizolepis*

（续）

序号	目	科	种	
			中文名	拉丁名
121	鲶形目	鲶科	鲶鱼	*Parasilunus asotus*
122		鮠科	黄颡鱼	*Psedobagrus fulvidraco*
123			瓦氏黄颡鱼	*Psedobagrus vachelii*
124	刺鱼目	刺鱼科	中华多刺鱼	*Pangitius sinesis*
125	鳉形目	鳉科	青鳉	*Aplochelus latipes*
126	合鳃目	合鳃科	黄鳝	*Monopterus albus*
(二)两栖类				
1	无尾目	蟾蜍科	花背蟾蜍	*Bufo raddei*
2			中华大蟾蜍	*Bufo gargarizans*
3		雨蛙科	无斑雨蛙	*Hyla arborea immaculata*
4		蛙科	黑斑蛙	*Rana nigromaculata*
5			金线蛙	*Rana plancyi plancyi*
6			中国林蛙	*Rana japonica japonica*
7		姬蛙科	北方狭口蛙	*Kaloula borealis*
(三)爬行类				
1	龟鳖目	鳖科	中华鳖	*Triouyx sinensis*
2	蛇目	游蛇科	赤链蛇	*Dinodon rufezonatum*
3			白条锦蛇	*Elaphe dione*
4			红点锦蛇	*Elaphe rufodorsata*
5			黄脊游蛇	*Coluber spinalis*
6			玉斑锦蛇	*Elaphe mandavina*
7			乌梢蛇	*Zaocys dhumnades*
8			王锦蛇	*Elaphe cavinata*
9			黑眉锦蛇	*Elaphe taeniurus*
10			棕黑锦蛇	*Elaphe sehrenckii*
11			团花锦蛇	*Elaphe davidi*
(四)哺乳类				
1	食虫目	猬科	刺猬	*Erinaceus europaeus*
2	翼手目	蝙蝠科	东方蝙蝠	*Vespertilio superans*
3			普通伏翼	*Pipistrellus abramus*
4	兔形目	兔科	草兔	*Lepus capensis*
5	啮齿目	鼠科	小家鼠	*Mus musculus*
6			黑线姬鼠	*Apodemus agrarius*
7			褐家鼠	*Rattus norregicus*
8		仓鼠科	黑线仓鼠	*Cricetulus barabensis*
9			大仓鼠	*Cricetulus triton*
10			麝鼠	*Ondatra zibethicus*
11		鼢鼠科	东北鼢鼠	*Myospalax psilurus*
12	食肉目	鼬科	黄鼬	*Mustela sibirica*
13			艾鼬	*Mustela eversmanni*
14			猪獾	*Arctonyx collaris*

（续）

序号	目	科	种	
			中文名	拉丁名
（五）水 鸟				
1	䴙䴘目	䴙䴘科	小䴙䴘	*Tachybaptus ruficollis*
2			赤颈䴙䴘	*Podiceps grisegena*
3			凤头䴙䴘	*Podiceps cristatus*
4			角䴙䴘	*Podiceps auritus*
5			黑颈䴙䴘	*Podiceps nigricollis*
6	鹈形目	鹈鹕科	斑嘴鹈鹕	*Pelecanus philippensis*
7			卷羽鹈鹕	*Pelecanus crispus*
8		鸬鹚科	普通鸬鹚	*Phalacrocorax carbo*
9	鹳形目	鹭科	苍鹭	*Ardea cinerea*
10			草鹭	*Ardea purpurea*
11			大白鹭	*Egretta alba*
12			中白鹭	*Egretta intermedia*
13			白鹭	*Egretta garzetta*
14			黄嘴白鹭	*Egretta eulophotes*
15			牛背鹭	*Bubulcus ibis*
16			池鹭	*Ardeola bacchus*
17			绿鹭	*Butorides striata*
18			夜鹭	*Nycticorax nycticorax*
19			黄斑苇鳽	*Ixobrychus sinensis*
20			紫背苇鳽	*Ixobrychus eurhythmus*
21			栗苇鳽	*Ixobrychus cinnamomeus*
22			大麻鳽	*Botaurus stellaris*
23		鹳科	黑鹳	*Ciconia nigra*
24			东方白鹳	*Ciconia boyciana*
25		鹮科	白琵鹭	*Platalea leucorodia*
26			黑脸琵鹭	*Platalea minor*
27	雁形目	鸭科	疣鼻天鹅	*Cygnus olor*
28			大天鹅	*Cygnus cygnus*
29			小天鹅	*Cygnus columbianus*
30			鸿雁	*Anser cygnoides*
31			豆雁	*Anser fabalis*
32			白额雁	*Anser albifrons*
33			小白额雁	*Anser erythropus*
34			灰雁	*Anser anser*
35			斑头雁	*Anser indicus*
36			赤麻鸭	*Tadorna ferruginea*
37			翘鼻麻鸭	*Tadorna tadorna*
38			棉凫	*Nettapus coromandelianus*
39			鸳鸯	*Aix galericulata*
40			赤颈鸭	*Anas penelope*
41			罗纹鸭	*Anas falcata*
42			赤膀鸭	*Anas strepera*

（续）

序号	目	科	种	
			中文名	拉丁名
43	雁形目	鸭科	花脸鸭	*Anas formosa*
44			绿翅鸭	*Anas crecca*
45			绿头鸭	*Anas platyrhynchos*
46			斑嘴鸭	*Anas poecilorhyncha*
47			针尾鸭	*Anas acuta*
48			白眉鸭	*Anas querquedula*
49			琵嘴鸭	*Anas clypeata*
50			赤嘴潜鸭	*Netta rufina*
51			红头潜鸭	*Aythya ferina*
52			青头潜鸭	*Aythya baeri*
53			白眼潜鸭	*Aythya nyroca*
54			凤头潜鸭	*Aythya fuligula*
55			斑背潜鸭	*Aythya marila*
56			长尾鸭	*Clangula hyemalis*
57			斑脸海番鸭	*Melanitta fusca*
58			鹊鸭	*Bucephala clangula*
59			斑头秋沙鸭	*Mergellus albellus*
60			红胸秋沙鸭	*Mergus serrator*
61			普通秋沙鸭	*Mergus merganser*
62			中华秋沙鸭	*Mergus squamatus*
63	隼形目	鹗科	鹗	*Pandion haliaetus*
64		鹰科	玉带海雕	*Haliaeetus leucoryphus*
65			白尾海雕	*Haliaeetus albcilla*
66			白腹鹞	*Circus spilonotus*
67			白尾鹞	*Circus cyaneus*
68			鹊鹞	*Circus melanoleucos*
69	鹤形目	鹤科	蓑羽鹤	*Anthropoides virgo*
70			白鹤	*Grus leucogeranus*
71			白枕鹤	*Grus vipio*
72			灰鹤	*Grus grus*
73			白头鹤	*Grus monacha*
74			丹顶鹤	*Grus japonensis*
75		秧鸡科	普通秧鸡	*Rallus aquaticus*
76			白胸苦恶鸟	*Amaurornis phoenicurus*
77			小田鸡	*Porzana pusilla*
78			红胸田鸡	*Porzana fusca*
79			斑胁田鸡	*Porzana paykullii*
80			董鸡	*Gallicrex cinerea*
81			黑水鸡	*Gallinula chloropus*
82			白骨顶	*Fulica atra*

（续）

序号	目	科	种	
			中文名	拉丁名
83	鸻形目	雉鸻科	水雉	*Hydrophasianus chirurgus*
84		彩鹬科	彩鹬	*Rostratula benghalensis*
85		蛎鹬科	蛎鹬	*Haematopus ostralegus*
86		反嘴鹬科	鹮嘴鹬	*Ibidorhyncha struthersii*
87			黑翅长脚鹬	*Himantopus himantopus*
88			反嘴鹬	*Recurvirostra avosetta*
89		燕鸻科	普通燕鸻	*Glareola maldivarum*
90		鸻科	凤头麦鸡	*Vanellus vanellus*
91			灰头麦鸡	*Vanellus cinereus*
92			金鸻	*Pluvialis fulva*
93			灰鸻	*Pluvialis squatarola*
94			金眶鸻	*Charadrius dubius*
95			环颈鸻	*Charadrius alexandrinus*
96			蒙古沙鸻	*Charadrius mongolus*
97			铁嘴沙鸻	*Charadrius leschenaultii*
98			东方鸻	*Charadrius veredus*
99		鹬科	丘鹬	*Scolopax rusticola*
100			针尾沙锥	*Gallinago stenura*
101			扇尾沙锥	*Gallinago gallinago*
102			半蹼鹬	*Limnodromus semipalmatus*
103			黑尾塍鹬	*Limosa limosa*
104			斑尾塍鹬	*Limosa lapponica*
105			小杓鹬	*Numenius minutus*
106			中杓鹬	*Numenius phaeopus*
107			白腰杓鹬	*Numenius arquata*
108			大杓鹬	*Numenius madagascariensis*
109			鹤鹬	*Tringa erythropus*
110			红脚鹬	*Tringa totanus*
111			泽鹬	*Tringa stagnatilis*
112			青脚鹬	*Tringa nebularia*
113			白腰草鹬	*Tringa ochropus*
114			林鹬	*Tringa glareola*
115			翘嘴鹬	*Xenus cinereus*
116			矶鹬	*Actitis hypoleucos*
117			灰尾漂鹬	*Heteroscelus brevipes*
118			翻石鹬	*Arenaria interpres*
119			大滨鹬	*Calidris tenuirostris*
120			红腹滨鹬	*Calidris canutus*
121			三趾滨鹬	*Calidris alba*
122			红颈滨鹬	*Calidris ruficollis*

（续）

序号	目	科	种	
			中文名	拉丁名
123	鸻形目	鹬科	小滨鹬	*Calidris minuta*
124			青脚滨鹬	*Calidris temminckii*
125			长趾滨鹬	*Calidris subminuta*
126			斑胸滨鹬	*Calidris melanotos*
127			尖尾滨鹬	*Calidris acuminata*
128			弯嘴滨鹬	*Calidris ferruginea*
129			黑腹滨鹬	*Calidris alpina*
130			勺嘴鹬	*Eurynorhynchus pygmeus*
131			阔嘴鹬	*Limicola falcinellus*
132			流苏鹬	*Philomachus pugnax*
133		瓣蹼鹬科	红颈瓣蹼鹬	*Phalaropus lobatus*
134			灰瓣蹼鹬	*Phalaropus fulicarius*
135	鸥形目	鸥科	黑尾鸥	*Larus crassirostris*
136			海鸥	*Larus canus*
137			银鸥	*Larus argentatus*
138			西伯利亚银鸥	*Larus vegae*
139			灰背鸥	*Larus schistisagus*
140			渔鸥	*Larus ichthyaetus*
141			棕头鸥	*Larus brunnicephalus*
142			红嘴鸥	*Larus ridibundus*
143			黑嘴鸥	*Larus saundersi*
144			遗鸥	*Larus relictus*
145			小鸥	*Larus minutus*
146			三趾鸥	*Rissa tridactyla*
147			鸥嘴噪鸥	*Gelochelidon nilotica*
148			红嘴巨燕鸥	*Hydroprogne caspia*
149			普通燕鸥	*Sterna hirundo*
150			白额燕鸥	*Sterna albifrons*
151			灰翅浮鸥	*Chlidonias hybrida*
152			白翅浮鸥	*Chlidonias leucopterus*
153			黑浮鸥	*Chlidonias niger*
154	鹃形目	杜鹃科	大杜鹃	*Cuculus canorus*
155	佛法僧目	翠鸟科	普通翠鸟	*Alcedo atthis*
156			蓝翡翠	*Halcyon pileata*
157			冠鱼狗	*Megaceryle lugubris*
158			斑鱼狗	*Megaceryle rudis*
159	雀形目	河乌科	褐河乌	*Cinclus pallasii*
160		鹟科	红尾水鸲	*Rhyacornis fuliginosus*

附录3　天津重点调查湿地概况

根据天津市湿地资源现状和保护管理的需求，第二次天津市湿地资源调查确定的重点调查湿地有4块，分布在大港区、静海县、武清区和宁河县，分别为北大港湿地、团泊洼湿地、大黄堡湿地、七里海湿地。其中，七里海湿地所在地为国家级自然保护区，其余3处为市级自然保护区。重点调查湿地范围总面积为8.80万公顷，其中湿地面积为5.01万公顷，占重点调查湿地范围总面积的56.93%。

1. 天津北大港湿地自然保护区重点调查湿地

天津北大港湿地自然保护区重点调查湿地范围面积34887公顷，湿地面积31800.84公顷，主要湿地类为人工湿地和河流湿地。地理坐标为东经117°11′～117°37′，北纬38°36′～38°57′，位于天津市滨海新区北大港地区。

北大港湿地区域内有高等植物50科126属203种。其中被子植物47科123属200种，蕨类植物3科3属3种。基本都属于广布种、常见种。这些植物按其生存环境，构成15个陆地植被类型。

北大港湿地内有脊椎动物290多种。其中，鸟类17目47科239种，其中湿地水鸟130种。本区有受到国际保护的物种，如被列入《亚太地区具有特殊保护意义的迁徙水鸟名录》中的种类，包括紫背苇鳽、鸿雁、花脸鸭、青头潜鸭、白眼潜鸭、灰头麦鸡、青脚鹬、半蹼鹬、黑嘴鸥等；有属于国家重点保护的鸟类39种：其中国家Ⅰ级保护的有7种，国家Ⅱ级保护的有32种。鱼类近40种，包括青鱼、草鱼、白鲢、鲫鱼、梭鱼、鲈鱼、鲶鱼、白条、鲤鱼、泥鳅、黄鳝等。两栖类5种。爬行类8种，即无蹼壁虎、丽斑麻蜥、鳖、赤链蛇、黑眉锦蛇、棕黑锦蛇、红点锦蛇、黄脊游蛇。哺乳类13种。

天津市北大港湿地自然保护区于1999年8月由大港区政府批准成立，后经过扩建，2001年12月经市政府批准，建立了市级自然保护区。主管部门为滨海新区农委，设有天津市北大港湿地自然保护区管理中心。

主要威胁因子为围垦、污染、基建与城市化占用湿地。受威胁状况等级为轻度。

2. 天津团泊鸟类自然保护区重点调查湿地

天津团泊鸟类自然保护区重点调查湿地范围面积6040公顷，湿地面积5777.63公顷，主要湿地类为沼泽湿地和湖泊湿地。地理坐标为东经117°09′～117°30′，北纬38°51′～38°58′，位于天津市区南部静海县和西青区境内。

团泊洼湿地有湿地植物35科70属128种。主要植物群落包括芦苇、香蒲、水葱、荆三棱、水蓼等挺水植物群落。

团泊洼湿地内主要脊椎动物有：鱼类25种，分别隶属5目9科，其中重要经济鱼类10种，优势种是：草鱼、鲤鱼、鲫鱼、黄颡鱼、翘嘴红鲌，其他鱼类经济意义不大。两栖类动物有1目2科3种，分别为花背蟾蜍、中华大蟾蜍和黑斑蛙。爬行类动物有1目1科5种，分别为乌梢蛇、王锦蛇、黑眉锦蛇、棕黑锦蛇、白条锦蛇。鸟类164种，其中国家Ⅰ级保护动物有黑鹳、东方白鹳、大鸨3种，国家Ⅱ级保护动物有天鹅、鸳鸯、白琵鹭3种。

天津团泊洼于1985年建立县级鸟类自然保护区，1992年晋升为市级候鸟自然保护区。受静海县林业局管理，设有团泊鸟类自然保护区管理站。

主要威胁因子为污染、基建与城市化占用湿地、缺水。受威胁状况等级为轻度。

3. 天津大黄堡湿地自然保护区重点调查湿地

天津大黄堡湿地自然保护区重点调查湿地范围面积11200公顷，湿地总面积7397.35公顷，主要湿地类为人工湿地和沼泽湿地。地理坐标为东经117°10′33″～117°19′58″，北纬39°21′04″～39°30′27″之间，位于天津市武清区。

大黄堡湿地内现已查明有高等植物32科97属179种。其中蕨类植物1科1属1种；被子植物31科96属178种。

大黄堡湿地内有陆生哺乳动物5目7科14种，有鸟类16目32科167种，两栖爬行类共计4目7科12种，鱼类5目10科25种。其中国家Ⅰ级保护野生动物5种，国家Ⅱ级保护野生动物28种，全部为鸟类。

2004年武清区成立了大黄堡市级湿地自然保护区。受武清区林业局管理，成立了大黄堡自然保护区管理处。

主要威胁因子为非法狩猎。受威胁状况等级为轻度。

4. 天津七里海重点调查湿地

天津七里海重点调查湿地位于天津古海岸与湿地国家级自然保护区内，重点调查湿地范围面积35913公顷，湿地总面积5144.36公顷，主要湿地类为沼泽湿地。地理中心坐标为东经117°32′，北纬39°17′，位于天津市宁河县。

七里海湿地有高等植物69科200属291种(包括种以下单位)。其中裸子植物4科6属8种，被子植物65科194属283种。被子植物中，双子叶植物55科157属225种，单子叶植物10科37属58种。

七里海湿地有陆生哺乳动物6目9科14种，有鸟类12目23科182种，两栖爬行类4目7科12种，鱼类5目10科25种。

七里海湿地是天津古海岸与湿地国家级自然保护区的重要组成部分，该保护区于1984年经天津市人民政府批准建立市级自然保护区，1992年晋升为国家级自然保护区。受海洋部门管理，设有天津古海岸与湿地国家级保护区管理处。

主要威胁因子为基建与城市化和非法狩猎。受威胁状况等级为轻度。

参考文献

[1]曹文宣．我国的淡水鱼类资源[M]．北京：科学出版社，1992：30～64.

[2]陈服官，罗时有，郑光美，等．中国动物志·鸟纲(第9卷　雀形目：太平鸟科—岩鹨科)[M]．北京：科学出版社，1998.

[3]陈可馨．天津水环境的变化及其对策[J]．天津地质学会志，1991，9(3)：13～17.

[4]崔文彦，罗阳，王迎，等．海河流域湿地生态服务价值评价及对策研究[J]．海河水利，2007，6：13～18

[5]国家林业局等．中国湿地保护行动计划[M]．北京：中国林业出版社，2000.

[6]郝翠，李洪远．天津滨海新区湿地植物群落特征及植被演替过程[J]．南水北调与水利科技，2012，10(3)：77～81.

[7]李佰温．天津地区主要经济鸟类及其生态环境的变化[J]．天津自然博物馆论文集，1988(5)：81～82.

[8]李洪远，孟伟庆．滨海湿地环境演变与生态恢复[M]．北京：化学工业出版社，2012.

[9]李兰兰，莫训强，孟伟庆，等．七里海古泻湖湿地植被特征及其植物物种多样性研究[J]．南开大学学报(自然科学版)，2014，47(6)：8～15.

[10]李兰兰，许诺，莫训强，等．七里海湿地植物种间关系的数量分析[J]．水土保持通报，2014，34(4)：70～75.

[11]刘家宜．天津湿地植物区系初步分析[G]//天津自然博物馆丛刊编辑部．天津自然博物馆论文集．1996(13)：17～33.

[12]刘家宜．天津植物名录[M]．天津：天津教育出版社，1995.

[13]刘家宜．中国天津古海岸与湿地植物区系和植物资源开发利用与保护的研究[G]//天津自然博物馆丛刊编辑部．天津自然博物馆论文集．北京：海洋出版社，2000(17)：37～40.

[14]刘作模．我国鸟类分布区系研究概况[J]．动物学杂志，1984(2)：45～49.

[15]陆健健．中国湿地[M]．上海：华东师范大学出版社，1990.

[16]孟庆闻，苏锦祥，缪学祖．鱼类分类学[M]．北京：中国农业出版社，1995.

[17]莫训强，李洪远．天津滨海湿地典型野生盐生植物的应用[J]．城市环境与城市生态，2010，23(2)：14～22.

[18]农业部水产司等．中国淡水鱼类原色图集(3)[M]．上海：上海科学技术出版社，1993.

[19]湿地国际—中国项目办事处．湿地经济评价[M]．北京：中国林业出版社，1999.

[20]天津市水利局．2008年天津市水资源公报[R]，2009.

[21]天津市统计局．2009：天津市统计年鉴[M]．北京：中国统计出版社，2010.

[22]王东胜，朱瑶谭，红武，等．天津湿地及其生态需水量分析[J]．科学技术与工程，2004，4(2)：127～132.

[23]王凤琴，陈建中．鸟类图志——天津野鸟欣赏[M]．天津：天津科学技术出版社，2008.

[24]王凤琴．天津湿地及湿地鸟类可持续发展的建议[J]．动物科学与动物医学，2003，20(2)：11～13.

[25]王凤琴．天津通志·鸟类志[M]．天津：天津社会科学院出版社，2006.

[26]伍献文．中国经济动物志(淡水鱼类)(第二版)[M]．北京：科学出版社，1979.

[27]武海涛，吕宪国．中国湿地评价研究进展与展望[J]．世界林业研究，2005，18(4)：49～54.

[28]徐树颖，等．京津地区的动物生态环境的评价[G]//中国科学院植物研究所，中国科学院动物研究所．京津

地区生物生态学研究. 北京：海洋出版社，1990：131~161.
[29]许宁，高德明. 天津湿地[M]. 天津：天津科学技术出版社，2005.
[30]闫维，李洪远，孟伟庆，等. 基于生物多样性保护的天津湿地生态旅游研究[J]. 环境保护与循环经济，2009(12)：67~71.
[31]杨世鹏，张骏芳. 天津市农村水环境现状及加强水环境治理的措施与建议[J]. 安徽农学通报，2009，15(15)：152~155.
[32]尤平，李后魂. 天津湿地蛾类丰富度和多样性及其环境评价[J]. 生态学报，2006，26(3)：629~637.
[33]尤平，李后魂，王淑霞，等. 天津七里海湿地蛾类多样性[J]. 昆虫学报，2003，46(5)：617~621.
[34]尤平，李后魂，王淑霞，等. 团泊洼鸟类自然保护区蛾类及其多样性的研究[J]. 南开大学学报(自然科学版)，2003，36(4)：93~99.
[35]尤平，李后魂，王淑霞. 天津北大港湿地自然保护区蛾类的多样性[J]. 生态学报，2006，26(4)：999~1004.
[36]张词祖，庞秉璋. 中国的鸟[M]. 北京：中国林业出版社，1997.
[37]张洁，康景贵，赵欣如，等. 京津地区的动物区系及变化[G]//中国科学院植物研究所，中国科学院动物研究所. 京津地区生物生态学研究. 北京：海洋出版社，1990：91~130.
[38]张荣幸. 洪湖围垦的生态经济损益调查分析[J]. 生态学杂志，1986，5(1)：42~45.
[39]张荣祖. 中国动物地理区划[M]. 北京：科学出版社，1999.
[40]赵洪婧. 天津湿地资源现状及保护和合理利用措施[J]. 天津农林科技，2007(2)：35~38.
[41]郑光美. 中国鸟类分类与分布名录[M]. 北京：科学出版社，2005.
[42]郑作新. 中国鸟类系统检索(第三版)[M]. 北京：科学出版社，2002.
[43]中国科学院《中国自然地理》编辑委员会. 中国自然地理(动物地理)[M]. 北京：科学出版社，1979.
[44]中国野生动物保护协会. 中国鸟类图鉴[M]. 郑州：河南科学技术出版社，1995.
[45]朱松泉. 中国淡水鱼类检索[M]. 南京：江苏科学技术出版社，1995.
[46]JohnMackinon，KarenPhillipps，何芬奇. 中国鸟类野外手册[M]. 长沙：湖南教育出版社，2000.
[47]William J，James G G. Wetlands[M]. New York：John Wiley，2000.

附 件

天津市湿地资源调查主要参加人员

天津市林业局： 高德明 石会平 高 鑫 张小锟 罗 军 王 晖 张学娜 陈凡曦 王成涛 孙铁忠 赵洪婧 张 洁 刘 杉 秦仲焘 陈 玥 刘 洋 李子博 陈 雪 陈忠起

清华大学： 马洪兵 王 侠 谢 磊 燕国青 李树伟

北京林业大学： 张明祥

南开大学： 李洪远 杜召辉 刘淑蓉 杨琳琳 张明瑞

天津师范大学： 孟伟庆 莫训强 吕铃钥 陈小奎

天津自然博物馆： 王凤琴 覃雪波 古 远

国家海洋信息中心： 杨 翼 纪大伟 王园君

东丽区农业技术推广服务中心： 张顺林 李汝喜 张书发

津南区农业经济委员会： 穆连枝 徐永明

西青区农业技术推广服务中心： 任秀元 文丽华 高 燕 高泽猛 贺宗津

北辰区种植业发展服务中心： 姜立强 刘存福 张佳峰 呼仕忠

蓟县林业局： 张剑云 赵 怀 陈德春 郝铁军 白 杰 曲薇薇

八仙山国家级自然保护区管理局： 刘国泉 赵铁建 冯小梅

武清区林业局： 刘志杰 慈维顺 王国雨

宝坻区林业局： 王勤田 刘建枫 王 瑞 张玉平

静海县林业局： 马金河 边振江 高荣杰 刘孝林 张立强

宁河县林业局： 张洪岭 胡东明 李晓芬

滨海新区农业局： 尚成海 申铁巷 王德全 张连成 程耀民 王 峰 刘金虎 窦玉峰 阳积文 范春斌 田翠杰 王 纲 姚庆峰 吴福海

天津市官港森林绿化基地管理处： 刘桂军 王红艳 曾繁喜 许文领 刘恩山 何国萍

后 记

津，水渡也，“天津”二字意为“天子的渡口”，由此可见，自古以来天津就是“舟车攸会，聚落始繁”之地。从远古走来的天津，曾是一片退海之地，世界上含沙量最高的黄河，历史上三次经天津入海，以惊人的造陆能力淤积成天津平原。由于地处华北最大的水系——海河水系的入海口，因此境内河流水渠纵横交错，坑塘洼淀星罗棋布，是我国湿地资源比较丰富的地区之一。

为查清我国湿地资源现状，掌握湿地资源动态变化，国家林业局决定开展第二次全国湿地资源调查。按照国家林业局统一部署，天津市成为全国首批开展调查工作的六个省份之一。在完善的组织、资金和技术保障的前提下，2008 年下半年完成了调查组织机构建设和《天津市湿地资源调查工作方案》《天津市湿地资源调查技术实施细则》编写等前期准备工作；2009 年 1 月至 2010 年 7 月，完成遥感解译、地面验证和《天津市湿地资源调查报告》编写工作，并通过国家林业局组织的外业检查验收和专家评审；2010 年 8 月至 2014 年 4 月，与南开大学、天津师范大学、天津自然博物馆和北京师范大学合作开展湿地野生动物和野生植物资源调查，同时根据国家林业局《调查报告编写大纲》要求，对《天津市湿地资源调查报告》进行全面梳理、调整和修改，并向社会公布调查成果；2014 年 5 月至 2015 年 12 月，组织编写《中国湿地资源・天津卷》。

本书是在对天津市第二次湿地资源调查结果进行整理、分析的基础上编写的，共分六章十四节，在介绍了大量详细调查数据的基础上，对全市湿地资源的基本情况进行了科学分析、总结和评价，并对四个重点湿地：北大港湿地、团泊洼湿地、大黄堡湿地、七里海湿地资源状况进行了单独阐述，同时对全市的湿地保护管理提出了科学化建议。与原有相关调查报告或著作相比，本书对遥感解译过程中的数据处理、解译标志建立、区划判读等做了详细论述；运用“3S”技术全面摸清全市及各行政区域湿地资源详细情况，建立了资源数据库，并分析了我市湿地资源的分布规律；动植物资源数据来自于南开大学、北京师范大学、天津师范大学近年来开展的野外调查，内容详实可信，具有较高权威性。

本书的出版，对天津市湿地保护工作具有重要的指导意义：一是提供了科学、可靠的资源数据；二是为日常保护管理工作提供了依据；三是有利于今后制定更为有效和有针对性的保护措施；四是很好地展示了我市近年来在湿地保护方面所做的工作和取得的成果；五是对今后的保护工作提出了意见和建议。作为湿地保护工作者，我们有理由相信，在各级党委、政府的高度重视下，在社会各界的共同关注和支持下，我市的湿地保护工作一定会再上新台阶。

编写组成员及分工情况：石会平负责全书的统稿和修改工作；马红兵负责遥感解译和湿地类型与面积部分编写工作；张明祥是《天津市湿地资源调查报告》执笔人；莫训强负责湿地动物资源部分编写工作；孟伟庆负责湿地植物资源部分编写工作；高鑫、张小锟负责湿地保护管理现状、保护管理建议等部分编写工作。

本书在编写过程中，得到了国家林业局湿地保护管理中心、天津市财政局及各区县林业行政主管部门的大力支持和帮助，在此一并表示感谢。

《中国湿地资源·天津卷》编写组

2015 年 12 月